# 精神医療ビジネスの闇

## 発達障害バブル、製薬マネー、人権侵害の歴史

米田倫康
YONEDA Noriyasu

北新宿出版

# 精神医療ビジネスの闇

発達障害バブル、製薬マネー、人権侵害の歴史

# はじめに

私にとって6冊目となる本書は、精神医療ビジネスの実態について迫る内容になっています。ただし、「ビジネス」や「金儲け」自体を悪として批判したいのではありません。精神医療従事者に無償で働けと言いたいわけでもありません。医療や福祉は公的なものなので、それを金儲けの手段にするなんてけしからんという声はありますが、良質なサービスや成果に対して正当な報酬が与えられるべきだと個人的に思っています。

本書で特に問題視したいのは、精神医療福祉やその近接領域で展開されている、いわゆる悪徳商法や悪徳ビジネスに該当するものです。それを本書では「精神医療ビジネス」と呼んでいます。様々なタイプがあり、セコい不正請求をする小悪党の小金稼ぎもあれば、業界ぐるみで大衆を騙して公金を掠め取るような大規模不正もあります。いずれも、悪質なサービスや破壊的な結果に対して経済的なインセンティブ（人々の意思決定や行動を変化させるような要因、報酬のこと）が働く点で共通しています。

とはいえ、悪徳ビジネス自体は決して珍しいものではなく、精神科のみならず様々な領域ではびこっています。ネットを開けばすぐに怪しげな広告が出てきますし、特殊詐欺への注意呼びかけを目にしない日などありません。悪徳ビジネスに騙される方が悪いし、自分には関係ないと思う人もいるでしょう。しかし、この精神医療ビジネスはあまりにも巧妙であるため実に多くの人が騙されています。さらに言うと、**精神医療ビジネスによる被害と無関係な人など存在しません**。なぜならば、**その実態は公金横領**だからです。

我々が納めた税金や健康保険料が適切に使われているのであれば私も文句など言いません。しかし、人々を騙し、求められた結果を出さないどころかむしろ悪化させ、不当な対価を要求するような連中に公金が吸い取られるようなことがあれば声を上げるのは当然のことです。本書はまさにその私の声そのものです。

さて、この主題で一番厄介なのは、ほとんどの人がその悪徳な精神医療ビジネスの正体に気付いていないという点です。騙されているのは患者だけではありません。精神科とは縁がないように見える一般市民も政府も騙されているのです。ここまで来ると、まるで陰謀論の世界にはまり込んでしまうように見えますが、根拠なく決め付けるわけではありません。他国でもそれぞれの国の特性にカスタマイズされた精神医療ビジネスモデルが存在し、世界中で猛威を振るっているのです。

世界的に精神医療のビジネス色が強まったのは１９８０年代であり、その震源地は米国でした。その本場米国では、乳幼児にまで精神障害と診断を下して向精神薬を飲ませるほどにまで社会全体に広がり、明らかに一線を越えてしまいました。その結果揺り戻しも激しくなっています。命や健康、公金を犠牲にして巨利をむさぼる精神医療ビジネスの正体に気付いた人々が内外から声を上げ、大きなうねりとなっています。その一方で、日本は米国流のビジネスモデルのみが輸入され、その有害な影響への対抗手段はほとんど存在せず、犠牲者は完全に見殺しにされています。その悪徳ビジネスにまんまと取り込まれた政府は共犯者と言えますが、責任を取って犠牲者を救済する動きはまったく見せず、警鐘を鳴らして国民を守るという視点すら持っていません。

本書はこの20年以上にわたって被害の実態を調査して告発し、いくつもの犯罪・不正を暴き、精神医療を批判的に検証してきた立場からの集大成です。精神医療の権威や、彼らの主張を無批判に採用した政策、無責任に拡散する報道らが作り上げてきた「常識」を疑うことは非常に困難です。しかし、本書が提供する知識や視点があれば、そのような常識の裏側に隠された欺瞞に気付くことができるでしょう。

とはいえ、私は自分の正しさや主義主張を万人に押し付けたいわけではありません。私が新たな「権威」となり、読者がそれに盲従するという構図ができてしまったら意味がありません。なぜならば、精神医療ビジネスの被害は常にそのような権威への盲信・盲従に端を発するからです。

読者の皆様が自分で判断し、自分自身や大切な人のメンタルヘルスを守ることができるよう、「常識」側の人たちが決して伝えない情報や視点をお届けするのが本書です。書かれていることを鵜呑みにするのではなく、自分の経験と照らし合わせたり、新たな視点で観察したりすることで、それを真実として採用すべきかどうか確かめてください。

皆様が精神医療ビジネスに振り回されることなくより豊かな人生を送るよう、本書をお役立ていただければ幸いです。読み進める中で暗澹たる気持ちになるかもしれませんが、**最後の章には今までになかった大きな希望もあります**。是非最後までお付き合いください。

市民の人権擁護の会日本支部　代表世話役　米田　倫康

# 目　次

# 第1章　作られた精神疾患ブーム

## 精神科患者600万人時代

2022年夏、衝撃的な数値が厚生労働省から公表されました。2020年の国内の精神科患者は入院と通院を合わせ、ついに600万人の大台を超えて約615万人に迫ったことが判明しました（**図1**）。

つまり、今や日本人の20人に1人が精神科で治療を受けているということになります。

この数値は、厚生労働省が3年毎に実施している「患者調査」の結果から推計されたものです。前回調査（2017年）では約419万人と推定され、精神科患者は「30人に1人」だとされていました。ただし、この3年で200万人も増えたというわけではありません。統計の取り方が2020年から変わっただけであり、同じ方法で計算した場合、2017年の時点でも600万人に達していました。

とはいえ、我々の認識をこれまでの「30人に1人」から「20人に1人」へとアップデートしないといけないことには変わりありません。統計を見る限り、精神科で治療を受けている患者の数はずっと増え続けています。入院患者は微減ですが通院患者は激増し続けています。通院患者が激増する直前の1999年には「60人に1人」だったことを考えると、とてつもない増加です。

さて、本当に精神疾患に罹患する人がわずかな期間でここまで増えることなど起こり得るの

**図１　精神疾患総患者数**

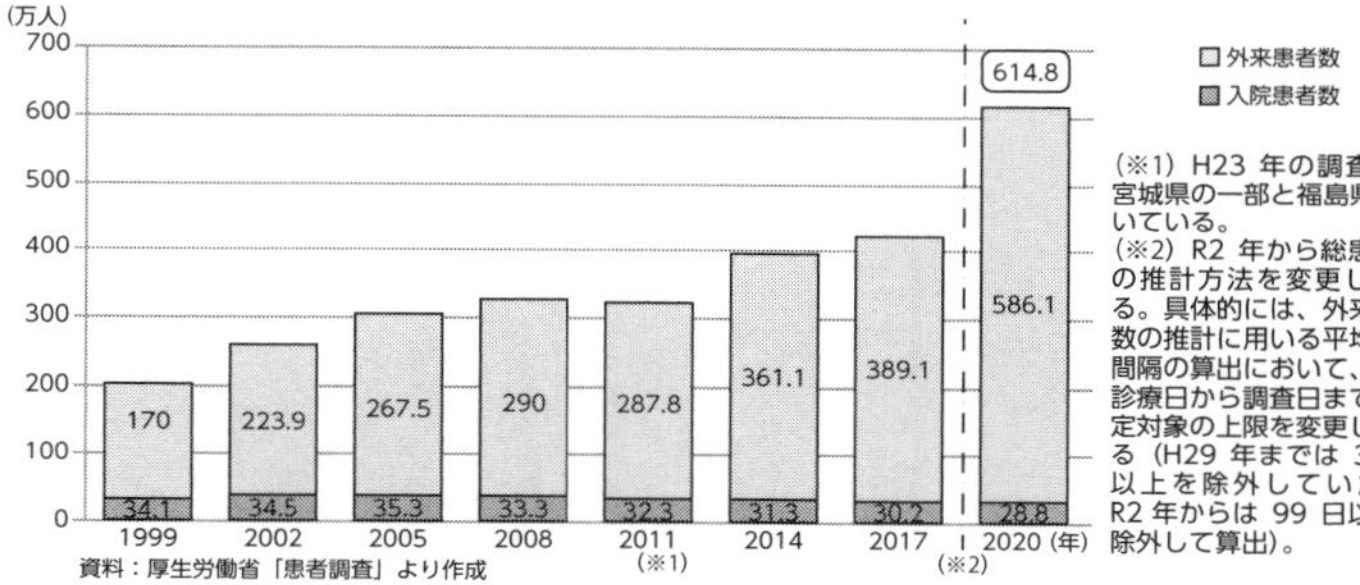


資料：厚生労働省「患者調査」より作成

（※1）H23 年の調査では宮城県の一部と福島県を除いている。
（※2）R2 年から総患者数の推計方法を変更している。具体的には、外来患者数の推計に用いる平均診療間隔の算出において、前回診療日から調査日までの算定対象の上限を変更している（H29 年までは 31 日以上を除外していたが、R2 年からは 99 日以上を除外して算出）。

でしょうか。日本人のメンタルが急速に悪化したのでしょうか。精神疾患とは、感染症のように新規患者がどんどん増え続ける類の疾患なのでしょうか。

感染症の場合、一気に増加することはあっても際限なく増え続けるわけではありません。ピークが存在し、そこから減少に転じて次第に落ち着いてきます。その大きな理由の一つは「治癒」するからです。未知のウイルスが突然広がったとしても、感染者の回復や死亡を経た上で、免疫の獲得や、ワクチンや治療薬の普及など、無防備だった状態から体制が整えられることで感染者数も増減しながら収束していきます。

では、精神疾患はいかがでしょうか。もしも精神疾患が精神科治療によって治るものであれば収束はせずとも減少に転じるはずです。しかし、その気配はありません。感染症の場合は態勢が整えられるにつれて患者は減少していきますが、精神疾患はその真逆です。精神科・心療内科を標榜するクリニックは増え（**図2**）、精神科医の数も増え（**図3**）、抗うつ薬の市場規模も増え（**図4**）、早期発見・早期受診につなが

## 図２　全国の精神科及び心療内科の診療所数（重複計上）

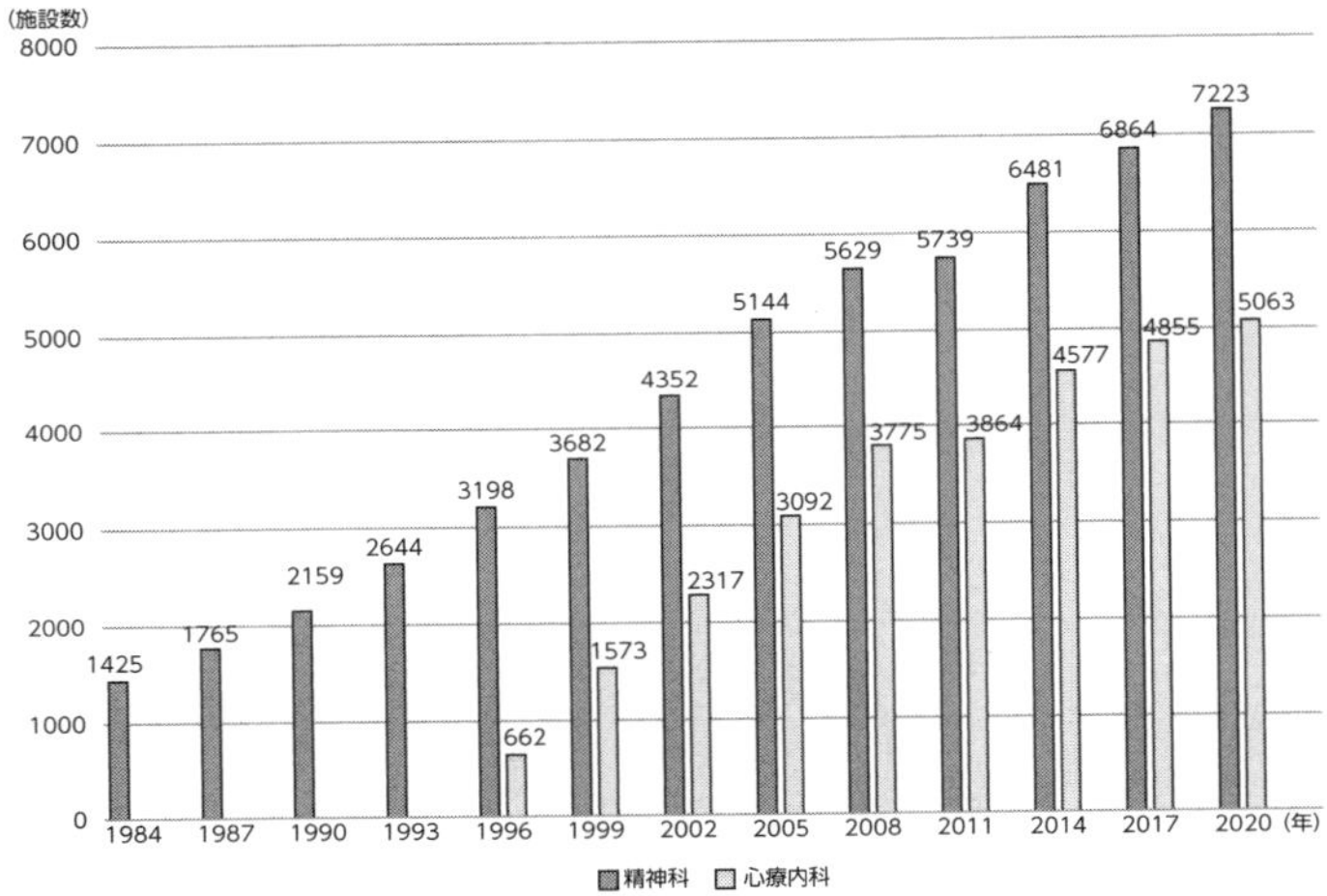


厚生労働省「医療施設調査」より作成

## 図３　精神科医の数

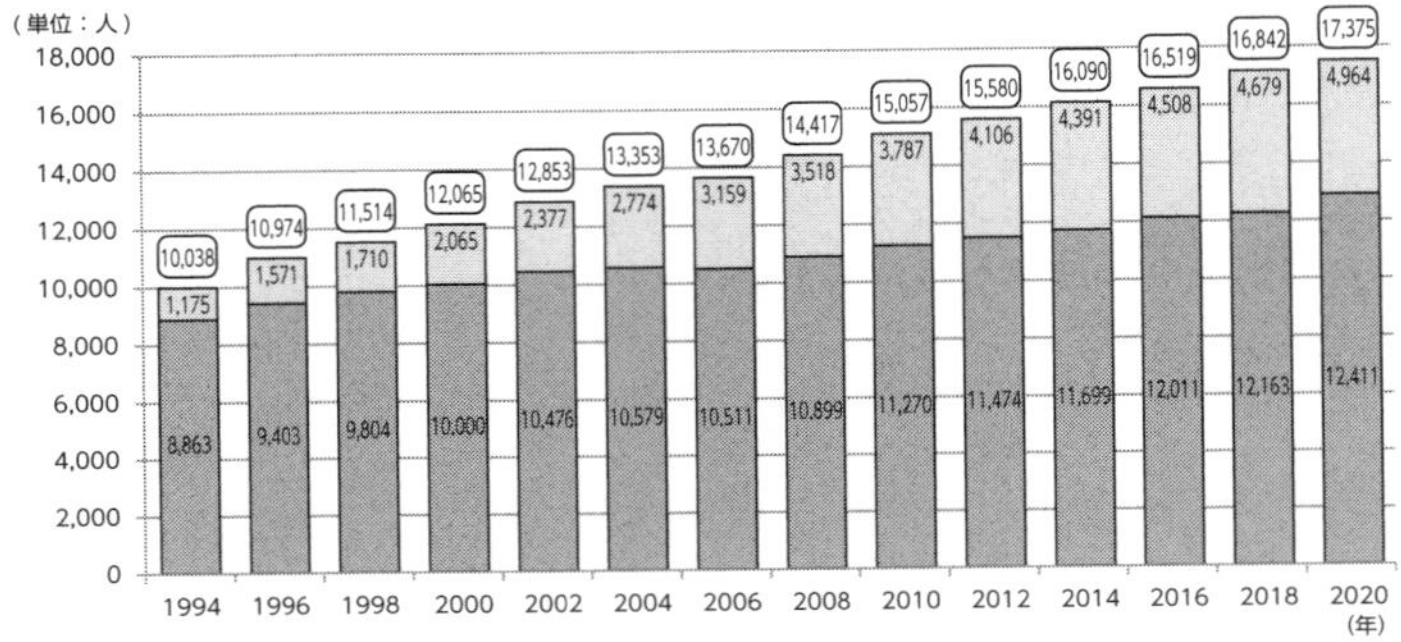


※2006年まで：主たる診療科が精神科、心療内科及び神経科の医師
　2008年以降：主たる診療科が精神科及び心療内科の医師

厚生労働省「医師・歯科医師・薬剤師調査」より作成

る体制は１９９９年とは比べ物にならないほど整えられています。**不思議なことに、精神科の受診・治療環境が整えられるほどに患者数は増え続けているのです。**

**図４　抗うつ薬の市場規模**

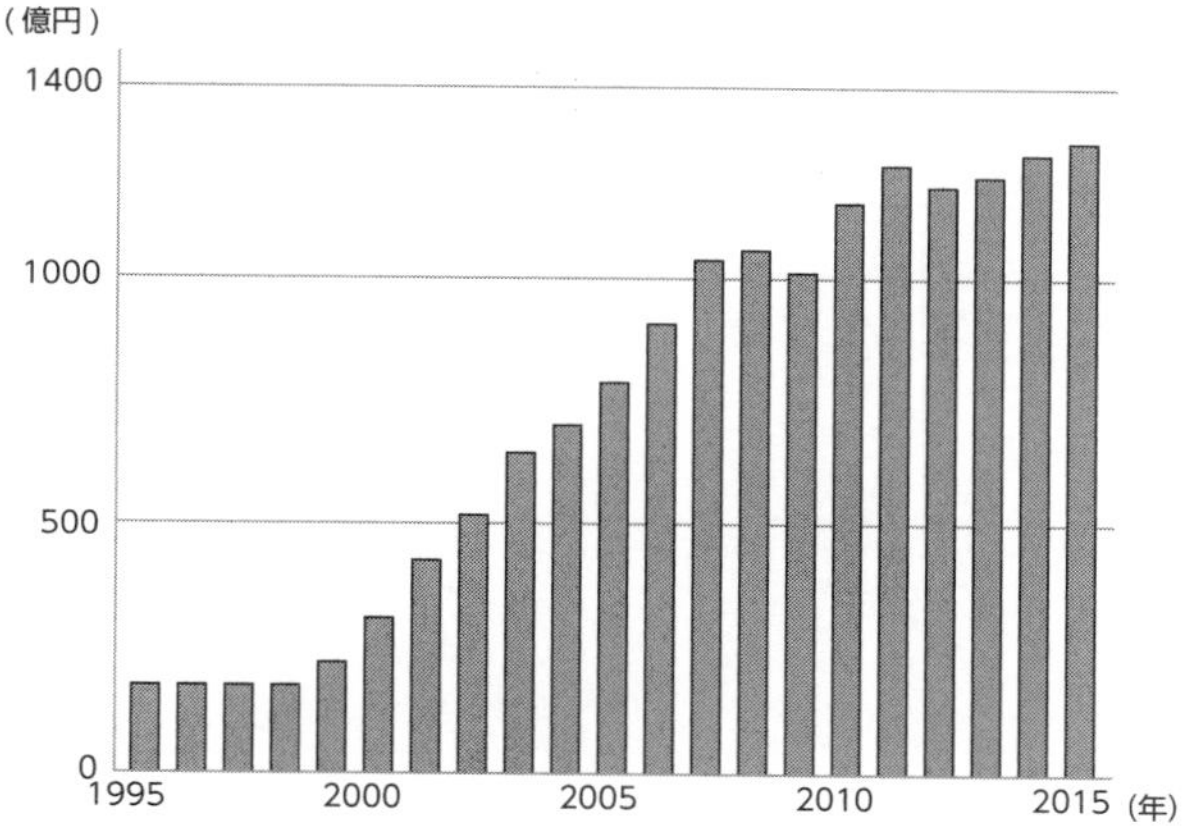


富士経済「医療用医薬品データブック」より作成

さて、この不自然な現象に対する専門家の言い分はこの20年近くずっと変わっていません。以下のような具合です。

・日本人は精神科にひどい偏見があり受診への抵抗が強かったが、業界の努力などによって軽減されてきたので受診者が増加した。しかしそれでも不十分であり、もっと受診者が増えるべきだ。

・うつ病や発達障害などに対する啓発が進み、本来受診しなければならなかった人が自分で気付いたり周囲に勧められたりして受診するようになっただけだ。それでも少ないくらいだ。

・精神科先進国の欧米、特に米国などと比

べるとまだまだ精神科受診率は低く、今まで低かったのが異常なのでもっと受診する患者の数が増え続けても何らおかしくない。

このような言い分は一見すると正しいように聞こえます。しかし、鵜呑みにする前に見過ごされている要素を考慮してみましょう。それは**早期発見・早期受診・早期治療が本当に人々のメンタルヘルスの改善に寄与しているのか**という評価です。

政府や市民は精神疾患や発達障害を早期発見し、早期受診につなげることが無条件に良いものであると信じ込まされてきました。早期に対処することで悪化する前に食い止めることができ、より回復の可能性が高まり、その結果として医療費削減につながるというもっともらしい言説を疑ってきませんでした。

もしもその通りであれば、そのような早期治療が進められたら進められるだけ、国民のメンタルヘルス全体が向上し、患者も収束するはずです。ところが、軽症のうちに早期治療を開始したはずなのに、治療を重ねるごとにどんどんと悪化し、症状が慢性化・固定化してしまっている患者があちこちで目立つようになりました。10年以上通院を続けている患者も珍しくなくなりました。

早期治療を進めれば医療費削減につながるはずなのに、精神医療費はどんどん増え続けています。厚生労働省が公開しているＮＤＢ（レセプト情報・特定健診等情報データベース）オープンデータから、精神科専門療法の保険点数を合計して経年変化を見るとそれは明らかです（図5）。精神科に通院する患者の医療費を一部公費負担する制度である自立支援医療費（精神通院）の増加も顕著です（図6）。

とある専門家は、「薬で治る」と豪語していたはずなのに、いつの間にか「治るものではなく付き合うものだ」、「一定の割合の患者にしか薬が効かない」などと言い分をコロコロと変えてきています。精神疾患や発達障害は「治癒」するものではなく、症状が収まる「寛解」になっても通院や服薬は続けなくてはならないし、止めても再発するので増え続けるのは当然だ、と開き直る専門家もいます。

**図５　精神科専門療法保険点数総合計（外来）**

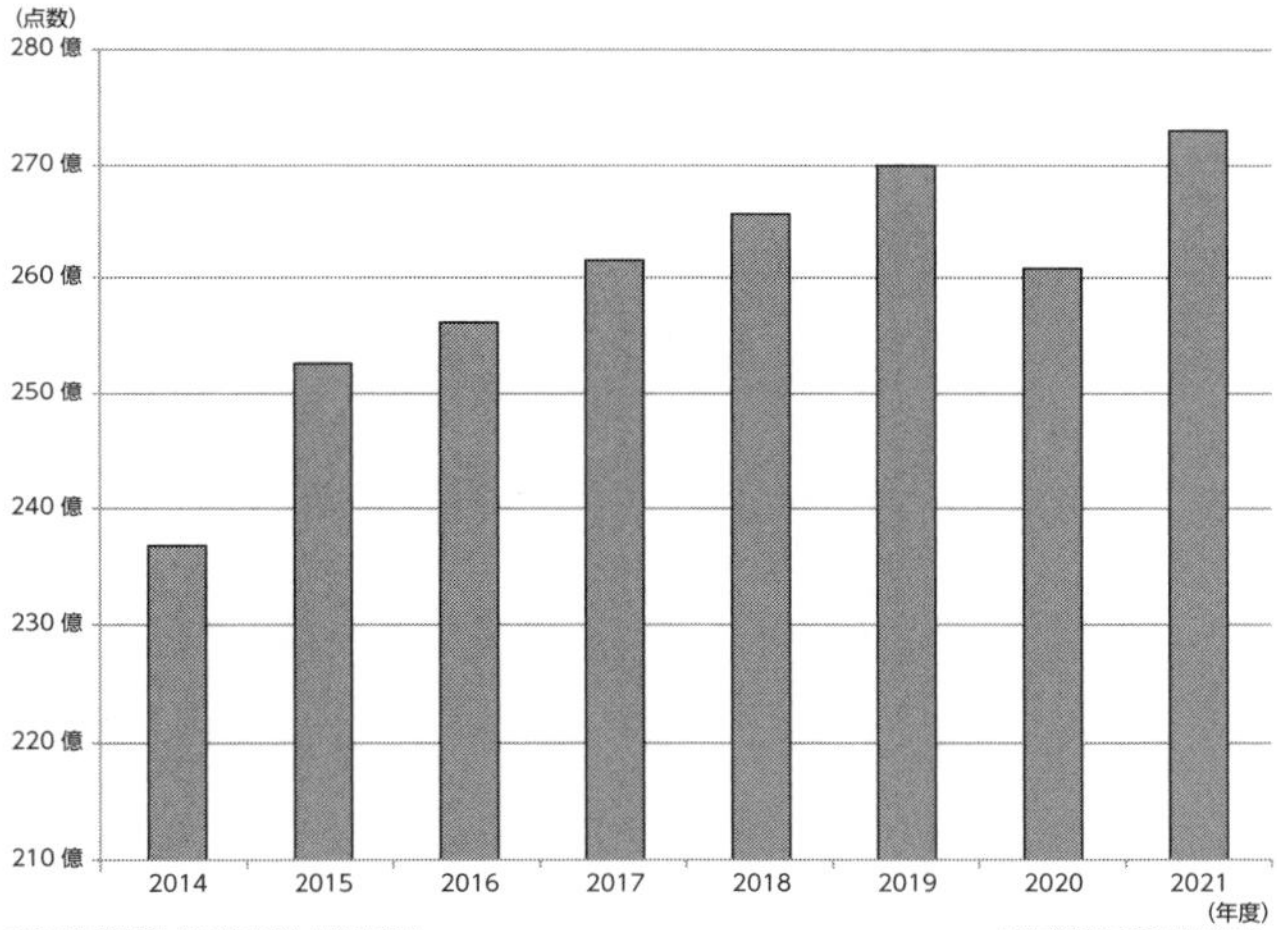


※心身医学療法（20歳未満）加算は省く。
※NDBオープンデータでは集計結果が10未満の数値が記載されないため、
　該当項目は0として計算。

厚生労働省NDBより作成

**散々期待を煽って大規模な予算や公**

図６　自立支援医療（精神障害者・児の精神通院医療）費の公費負担額

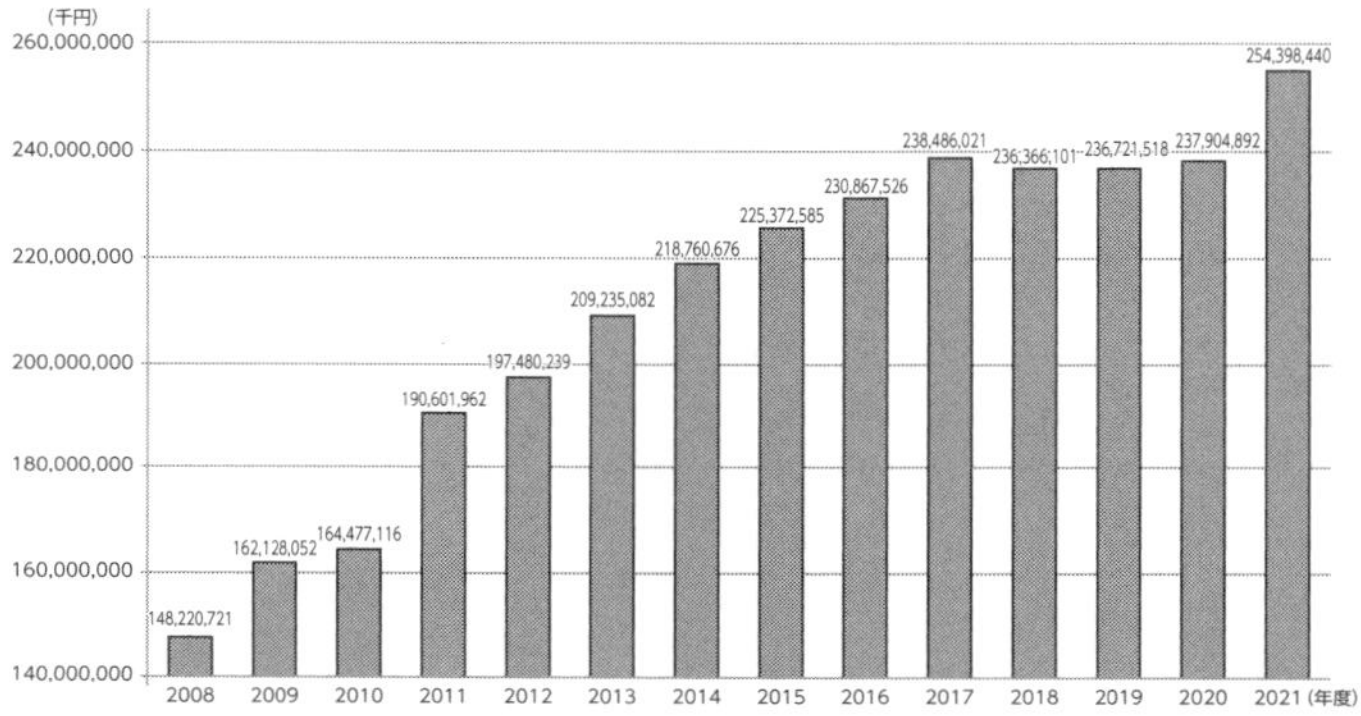


厚生労働省「福祉行政報告例」より作成

**的支援の獲得に成功しながら、約束したはずの結果を出していないのが現実です。**メンタルヘルスの改善を実現させるには予算が足りない、人員が足りない、精神医療機関が足りない、早期受診の体制が整えられていない…と業界はずっと言い続けています。政府は言われるままに予算や支援をあててきました。もしもそれが5年や10年の話ならわかりますが、もう20年以上同じことを繰り返しています。

そろそろ、専門家の言い分や彼らの成果に対して疑問を持つべきでしょう。政府は自分たちの政策が間違いであったことを通常認めません。歴史上、専門家のいい加減な主張を鵜呑みにしてひどい失敗をするということが何度も繰り返されて来ていますが、それを採用した手前、そう簡単に間違いであったことを認めないのが政府の傾向です。しかし、国民からの批判が高まると、当時の判断は正しかったと間違いを頑なに認めないものの、しれっと方向転換することがあります。ですから、国民が賢くならないといけないのです。

今後、日本人のメンタルヘルスの向上において鍵になるのは、**国民の心身と財産を蝕む精神医療ビジネスからの脱却**です。まずは国民が精神医療ビジネスという存在やそのあくどい手法について知ることが重要です。国民が被害に遭わないよう、本来は政府や報道機関こそが注意喚起すべきですが、彼らにその役目は期待できません。なぜならば、彼らも精神医療ビジネスに加担や依存をしてしまっている側面があるからです。

これから先、信じ難い精神医療ビジネスの実態について告発していきます。

## 精神医療ビジネス6つの手口

精神医療ビジネスの構造については第2章で詳しく解説しますが、その基本となる手口を先に示しておきます。この手口がすべての精神医療ビジネスの根底にあります。

**1. 根拠のないものについて、ごく表層部のみに科学的な装いをまとわせる**
**2. それに基づいて過度に不安を煽り、不必要な需要を作り出す**
**3. 自分が問題を作り出しながら、解決者として自分を売り込む**

**4. 良い「イメージ」を作り出すことで本当の姿を覆い隠して顧客を獲得する**
**5. 差別・虐待・拷問に等しい行為を「治療」と誤信させ、悪化させる**
**6. 政府に取り入り、地位や権力を確保しつつ、財政的支援を獲得する**

1〜4は通常の悪徳商法でも見られる手口です。個人の財産が不当に奪われてしまう結果になったとしても、深刻な健康被害に直結するわけではありません。精神医療ビジネスの危険な特色は5と6です。お上のお墨付きがあるために市民は疑いの目を持ちづらく、気付いた時には巨額の公金が掠め取られ、深刻な被害が広範囲に広がっているのです。お金と違い、奪われた命や人生は取り返しがつきません。

精神医療ビジネスは手口も規模も実に様々ですが、この日本において特筆すべき精神医療ビジネスが3つあります。

それは、①1950〜60年代の精神科病院乱立ビジネス、②1990年代後半〜2000年代のうつ病キャンペーンとそれに並行したメンタルクリニック乱立ビジネス、③2002年〜現在の発達障害キャンペーンとそれに伴う発達障害ビジネスです。

これらは**日本の社会構造そのものを変えてしまうくらいの大きな影響を及ぼしています。**

最初に、②について説明します。これは精神科の敷居を下げる役割を果たし、一般市民にとって精神科診断や治療がより身近になるきっかけとなりました。それは、誰もが精神医療ビジネスの被害に遭う危険性が出てきたことを意味します。

それまで日本人が精神科に持っていたイメージは最悪でした。①の精神科病院乱立ビジネスによって精神障害者に対する偏見が徹底的に煽られたことが大きな原因ですが、精神障害者は危険視され、奇異な目で見られ、それを治療する精神科医も怪しむような目で見られていました。１９８４年に発覚した宇都宮病院事件（１９８３年に看護職員らの暴行によって、同病院の患者2名が死亡した事件）以降も精神科病院における信じ難い人権無視の実態が次々と暴かれた結果、１９９０年代には精神医療の信頼性は地に落ちていました。

## 日本を変えたうつ病キャンペーン

そこから起死回生の一手となったのがうつ病キャンペーンです。１９８８年に米国で市販された新型抗うつ薬フルオキセチン（商品名・プロザック、日本では未発売）販売開始と世界的ヒットをきっかけに、製薬企業とタイアップする形で広く一般市民を顧客としていく米国型の精神医療が世界中を席巻していました。日本にはその波が10年遅れて黒船として押し寄せてきました。

黒船襲来が遅れた理由は明確でした。世界中で大ヒットしたプロザックを製造販売していたのは米国の製薬会社イーライリリー社ですが、日本では売れないと判断していたのです。日本人は心の問題、精神的な問題に対して薬を飲むことに抵抗があることを見抜いていたからです。

イーライリリー社が手をこまねいている間に先手を打ったのが、英国の製薬会社グラクソ・スミスクライン社でした。同社は２０００年に新型抗うつ薬パキシルの製造販売の承認を厚生労働省から得ましたが、それに先行して日本人の著名な精神科医を招いて会議を開くなどして徹底的に日本人の特性を調査し、効果的なマーケティング戦略を打ち出しました。

パキシルに先立って１９９９年にはフルボキサミンという成分の新型抗うつ薬が、明治製菓（当時）からルボックスという商品名で、ベルギーの製薬会社ソルベイ製薬（当時）からデプロメールという商品名で承認を受けて製造販売されていました。その他にも、アメリカの製薬会社ファイザー社が２００６年に同系統の新型抗うつ薬ジェイゾロフトの製造販売の承認を受けるなど、うつ病市場に次々と新薬が投入されていきました（**図7**）。

図7　日本で使われている新世代抗うつ薬

| 系統 | 一般名 | 商品名 | 発売年 |
|---|---|---|---|
| SSRI | フルボキサミン | デプロメール | 1999年 |
| | | ルボックス | |
| SSRI | パロキセチン | パキシル | 2000年 |
| SNRI | ミルナシプラン | トレドミン | 2000年 |
| SSRI | セルトラリン | ジェイゾロフト | 2006年 |
| NaSSA | ミルタザピン | リフレックス | 2009年 |
| | | レメロン | |
| SNRI | デュロキセチン | サインバルタ | 2010年 |
| SSRI | エスシタロプラム | レクサプロ | 2011年 |
| SNRI | ベンラファキシン | イフェクサー | 2015年 |
| その他 | ボルチオキセチン | トリンテリックス | 2019年 |

製薬会社にとっては、特許が切れてジェネリック医薬品が販売されるようになると市場の旨味が極端に少なくなるので、特許が切れるまでの期間（販売開始後約5〜10年）(*)で売り抜けるのが鉄則です。

そのため、製薬会社は新聞広告、新聞折り込み広告、インターネット、テレビCMなどを通して徹底的な宣伝広告戦略を展開しました。ただし、米国と違って日本では処方薬を直接一般大衆に宣伝することを許されていないため、彼らは「うつ病」を売り込みました。薬ではなく病気を売り込むというのは奇妙に思えるかもしれません。しかし、それこそが彼らの最も成功した手法となりました。**正確にはうつ病ではなく、うつ病の「イメージ」を売り出したのです。**

彼らが作り出すことに成功した「イメージ」は以下のようなものです。

・うつ病は心の風邪と言われるように、誰もがかかる病気だ
・風邪にかかったら病院にかかるように、うつ病も気軽に病院に行って治す病気だ
・うつ病は風邪と同様に薬を飲んで治す病気だ
・うつ病は精神の病気ではなく脳の病気だ

＊　特許権の存続は特許出願日から20年（新薬の場合5年分の延長も可能）だが、製造承認を受けるまでに通常は10〜15年を要するため、実際に新薬を独占販売できる期間は5〜10年ほどになる。

## ・脳の病気だから薬で治すのは当たり前だ

さて、この徹底したマーケティングに基づいたイメージ戦略は大当たりでした。心の問題で薬を飲むことに抵抗があり、精神科への敷居が高かった日本人が、すっかりと考えと行動を変えてしまったのです。

もともと日本では1980年あたりから精神科クリニックは徐々に増加しつつありました。精神科クリニックの収入源となる専門的な診療報酬（現在の通院精神療法）の点数が段階的に引き上げられてきたからです。とはいえ、精神科自体に対する負のイメージから敷居は依然として高いままでした。そこにうつ病キャンペーンはクリニック開業ラッシュの大きな後押しとなりました。

精神科クリニックは「精神科」を前面に出すのではなく、1996年より標榜が可能となった「心療内科」を前面に出すようにし、名称も「こころの○○クリニック」「○○メンタルクリニック」と精神の代わりに「こころ」や「メンタル」という単語を採用して柔らかいイメージを作り出し、気軽に通える雰囲気作りに力を入れました。その結果、雨後の筍のように駅前に乱立したメンタルクリニックに、特に若者たちが抵抗なく入って行くようになりました。

さて、私がここで「イメージ」と強調したのには理由があります。イメージはあくまでもイメージであって本当の姿とは限らないからです。イメージ戦略があれば、不誠実な人を誠実に見せかけることもできますし、根拠のないものを科学的に見せかけることもできます。まさに、これが精神医療ビジネスの最初の手口である「**1．根拠のないものについて、ごく表層部のみに科学的な装いをまとわせる**」です。

この20年以上、精神科医の権威や製薬会社は、うつ病を「脳の病気」と言い張ってきました。誠実な専門家はそれに異を唱えていましたが、とにかく彼らは脳内の神経伝達物質のバランスが崩れることが病気の原因だと**断定的に**論じてきました。

脳内シナプスをシンプルなイラストにし、神経伝達物質の一つであるセロトニンの不足によってうつ病が生じるという「イメージ」を作り出すのが彼らの手法でした。さらには、そのイメージ画像を用い、抗うつ薬がセロトニンを吸収する受容体に蓋をし、シナプス間のセロトニン濃度を高めることで、そのバランスの乱れを整えることができ、病気を治すのだと解説しました。

このような一見して科学的に見える解説によって、心の問題なのになぜ薬を飲んで解決しようとするのかという漠然とした不安や疑問が解消され、日本人は納得してうつ病診断を受け入れ、抗うつ薬をはじめとする様々な向精神薬を抵抗なく服用するようになったのです。

しかし、うつ病キャンペーンが展開されて20年以上経った２０２２年7月、このような言説の根拠が崩れる衝撃的な研究が発表されました。ユニバーシティ・カレッジ・ロンドンの研究チームは、数十年に渡るうつ病とセロトニンに関連した膨大な研究を精査したところ、**うつ病**

がセロトニンの異常（特に濃度や活性の低下）によって引き起こされることを示す有力な証拠は存在しないと結論付けました(*)。

## 精神医療産業の巧妙なイメージ戦略

２０２３年、大手の中古車販売・買取会社であったビッグモーター社の不祥事が発覚し、連日のように報道されるようになりました。それまで、同社はさわやかな俳優をイメージキャラクターとして採用し、耳に残るフレーズとリズムで社名を歌い上げるＣＭソングを駆使し、テレビやラジオ、インターネットなどで盛んに宣伝を打ち出していました。その宣伝効果は絶大であり、車とまったく縁のない一般市民にもその名は知られていました。

故意に車を傷つけたり不必要な部品を交換したりするなどして修理費用を水増しし、保険金を不正に請求するという手口が蔓延していたことが報道されると、ＣＭを通して作られてきたそれまでの「イメージ」とその詐欺的な手口のギャップに人々は困惑しました。

さらには、ビッグモーター店舗周辺の街路樹だけ不自然に枯れているという噂が広がり始めました。街路樹があると店舗の看板や入り口、陳列している車が見えづらいため、意図的に枯死させたのではないかと囁かれました。当初は「まさか、いくらなんでもそこまでするか…？」というのが大半の人々の反応だったのではないでしょうか。しかし、行政機関の調査によってそれが真実味を帯びてきたことで、人々の困惑は怒りへと変貌していきました。

この事件が象徴するのは、いかに大衆が「イメージ」で判断するのかという事実です。いくら良い商品であってもイメージが悪ければ売れません。逆に、たとえ粗悪な商品であってもイメージ戦略が巧妙であれば飛ぶように売れてしまいます。

このように、特定のイメージを作り出すことで大衆の評判を得る技術や手法のことをＰＲ（Public Relations　日本語で広報活動）と呼びます。自分たちを利するような良いイメージを形成するだけでなく、敵対勢力に対する悪いイメージを作り出す形でＰＲが使われることもあります。いずれにせよ、作り出すのは「イメージ」であり、それが必ずしも実態と合致するとは限りません。そして、そのようなイメージ形成を通して特定の商品やサービスに対する購買意欲を駆り立て、販路に沿ってそれらを顧客に届ける仕組み全般をマーケティングと呼びます。

＊　GIGAZINE『「うつ病はセロトニンレベルの低下により生じる」という説には十分な証拠がないという研究結果』２０２２年7月22日
https://gigazine.net/news/20220722-no-evidence-serotonin-theory/
Moncrieff J, Cooper RE, Stockmann T, et al. The serotonin theory of depression: a systematic umbrella review of the evidence.Mol Psychiatry. 2022.
http://dx.doi.org/10.1038/s41380-022-01661-0
No evidence that depression is caused by low serotonin levels, finds comprehensive review. UCL News. July 20,2022.
https://www.eurekalert.org/news-releases/959220

情報社会を生きる我々にとってPRやマーケティングは不可欠であり、それらと無関係に生きていくことはほぼ不可能です。しかし、これらは必ずしも適切に使われるとは限りません。それらは時に大衆扇動のような形で悪用され、社会に大きな害悪をもたらします。我々一般市民も隠された悪意に気付くことなく、作られたイメージに翻弄され、知らず知らずの間に善意の人々を傷つけたり、悪意ある人々を増長させてしまったり、自身の健康や財産を損なうような判断を下してしまったりしています。

**患者という顧客を増やすことで利益に結びつく精神医療産業は、20世紀末からPRやマーケティングの手法を徹底的に取り入れました。**それ以前に大衆が精神科に抱いていたイメージは最悪でした。そのイメージを払拭し、幼児から高齢者に至るまで幅広い世代に渡って顧客の急増をもたらしたその手法は見事でした。その成功の要素はいくつも挙げられますが、その中心となったのはある特定の主張に基づいた宣伝手法でした。

その主張とは、脳内の神経伝達物質のバランスが崩れることで精神疾患や発達障害を発症するという仮説です。１９６０年代には既にこの仮説が提唱され、ドーパミンやセロトニン、ノルアドレナリン、アドレナリン、ヒスタミンなどの神経伝達物質を総称する「モノアミン」という言葉を用いてモノアミン仮説と呼ばれています。

これは精神医療関係者にとって非常に都合の良い仮説と言えるでしょう。なぜならばその仮説に基づいた説明は、何も知らない一般市民にとって科学的に見えるからです。心の病気、精神の病と説明されてもピンと来ず、ましてやそれを薬で治療をしようとする姿勢に疑問や反発を抱いていた人々が、神経伝達物質の調整がうまくできなくなる脳の病気であり、薬でそれを整えるのが治療であると説明されたら納得するようになったのです。

この仮説によって精神科領域での薬物療法は広く促進されただけでなく、開発の根拠ともなりました。実際、現在使われている薬の多くが、その仮説に基づいて開発されてきました。その代表格がＳＳＲＩ（選択的セロトニン再取り込み阻害薬）やＳＮＲＩ（セロトニン・ノルアドレナリン再取り込み阻害薬）ＮａＳＳＡ（ノルアドレナリン・セロトニン作動性抗うつ薬）のような新世代抗うつ薬、ＳＤＡ（セロトニン・ドーパミン拮抗薬）のような新世代抗精神病薬です。

しかし、仮説はあくまでも仮説です。極端な話、誰でもどんな仮説でも立てることができます。それらが科学的に証明されたら事実となりますが、証明されない限りは一つの意見・主張に過ぎないのです。仮説を立てること自体に問題はありません。むしろ科学にとって必要なステップです。しかし、**その仮説があたかも証明された科学的事実であるかのように情報発信することは問題になります**。うつ病キャンペーンは、まさにその問題を引き起こしました。

ユニバーシティ・カレッジ・ロンドンの研究チームは、モノアミン仮説の完全否定とまではいかないものの、その正しさを示す証拠などなかったことを明らかにしました。つまり、我々は根拠のない情報に騙されていたのです。騙されて薬を服用し、副作用被害に遭った人にとってはたまったものではありません。ここで我々は教訓を得ました。**ＰＲやマーケティングに**

**よって作られた「イメージ」と、医学的・科学的に証明された事実は異なる**ということと、**利害関係者はしばしばそれらを意図的に混同させて伝える**ということです。

精神疾患や発達障害に関して「正しい知識」「正しい情報」を持とうと呼びかける啓発記事、啓発番組、啓発サイトなどが無数に存在しますが、これらの主張する正しさにも疑いの目を向ける必要があります。なぜならば、**その正しさとは医学的・科学的な正しさではなく、しばしば情報発信者にとってのPR上の正しさを意味する**からです。正しい知識を持とうと呼びかけながら誤った情報を流布させ、偏見をなくそうと言いながら別の偏見を作り出すという罪深い状況を生み出しているのです。

そのような「啓発」情報には、しばしば狡猾な表現が使われます。それは「〜と言われている」「〜と考えられている」という言い回しです。その特徴は「誰が」をはっきりさせていない点です。もしかしたらそれはたった一人が主張している意見かもしれません。受け手はそれを「ほぼ証明された事実」や「常識」としてとらえてしまうため、予防線を張りつつも意図的に誤認を誘導する、非常にずる賢い手法だと言えます。それが誤った情報であったと後に判明したとしても責任を回避できてしまいます。

また、製薬会社が運営する啓発サイトであれば、製薬会社側にとって都合の良い情報だろうと受け手は構えることができますが、公的機関や公益団体のサイトであれば、そのような防御姿勢すらなくなります。中には、狡猾な表現どころか、単なる仮説を断定的に事実として述べる悪質なサイトすらあります。そのようなサイトは大抵専門家によって監修されていますが、厚生労働省や自治体の名で出ているため、それを鵜呑みにする人が出るのは当然です。具体例を挙げます。

厚生労働省が招集した「地域におけるうつ対策検討会」は、都道府県・市町村職員がうつ対策を推進するにあたって必要な具体的な方策を示した「うつ対策推進方策マニュアル」を２００４年1月に作成しました。そのマニュアルは厚生労働省のホームページでも閲覧できます。「5．適切な診断・治療のために」という章において、「⑴うつ病の正しい知識（脳の神経伝達物質に関する問題であって、性格や考え方の問題ではないこと）」という表現があります。うつ病=脳の神経伝達物質に関する問題と断定し、それこそが「正しい」知識だとしていますが、それを裏付ける証拠が一切無いのは前述のとおりです。

また、厚生労働省による「働く人のメンタルヘルス・ポータルサイト　こころの耳」では、「2　精神障害の基礎知識とその正しい理解」という章において、「精神障害とは、何らかの脳の器質的変化あるいは機能的障害が起こり、さまざまな精神症状、身体症状、行動の変化が見られる状態です」と説明した上で、うつ病について「うつ病の時には、神経伝達物質（セロトニン、ノルアドレナリンなど）の放出量が不足するなどして、情報伝達がうまく行われていないことが分かっています」と解説しています。その際、持田製薬株式会社より提供された「神経細胞間の情報伝達のしくみ」という図を用いて、神経伝達物質の不足がうつ病を引き起こすという「イメージ」を作り出しています。

一部の専門家にとって都合の良い仮説が、あたかも国も認める科学的事実であるかのように情報発信され、それが「正しい知識」「正しい理解」とされてしまっているのです。ここに精神医療ビジネスの恐ろしさが垣間見られます。科学的根拠のない情報が科学的と誤信される形で、国の権威を装って発信されているのです。多くの人が騙されるのも当然と言えるでしょう。

## 精神医療ビジネスの入り口になるチェックリスト

精神医療ビジネスが最も重宝するのが簡易なチェックリストです。このチェックリストは一見して科学的に見え、なおかつ人々の不安を駆り立てて受診行動に至らせることができるからです。つまり、精神医療ビジネスの基本的手口の1と2を兼ね備えた優秀なツールなのです。

うつ病キャンペーンでも、このチェックリストが効果的に使われました。特に、臨床試験の被験者募集や疾患啓発という体で出された広告には、しばしばチェックリストがキャッチコピーとして使用されました。そのチェックリストをたまたま目にした人が、自分にも当てはまるとしてうつ病ではないかと疑いを持つようになったのです。

また、うつ病について取り上げる記事や番組では、製薬会社と関係が深い専門家が登場し、チェックリストを掲げて読者や視聴者に自己チェックするよう誘導し、その結果が気になる人を受診へ促していました。さらには、厚生労働省までもが、国民向けパンフレットで「うつ病自己チェック」なるものを掲げて受診を促進するようになりました（144ページ参照）。

**図８　JR新橋駅SL広場前で実施された「自殺対策強化月間」初日の街頭キャンペーン**

　極めつけは内閣府でした。２０１０年3月に展開された自殺対策キャンペーンの目玉は「お父さん、眠れてる?」という呼びかけでした（**図8**）。眠れていないのはうつ病だと言わんばかりの内容であり、もはやチェック「リスト」ですらありませんでしたが、自己暗示と不安を駆り立てて受診行動に結び付けるという意図は同じでした。

　しかし、なぜ精神疾患がチェックリストで判断できるのでしょうか。ましてや、うつ病を脳の病気だと言うのであれば、チェックリストごときで脳に異常があるかどうかなどわかるのでしょうか。冷静に考えたら疑問ばかりです。本当に根拠などあるのでしょうか。実は、このようなチェックリストは、国際的にも使われる診断基準が基になり、特定の専門家の監修によって簡略化されたものがほとんどです。つまり、精神科の診断自体がチェックリスト方式であることを意味しています。

そうであれば、チェックリスト自体にそれなりに根拠があるように思えるかもしれません。しかし、本当にそうなのかを判断するためには、なぜ精神科診断がチェックリスト方式になったのか、それを用いた診断の際に何を注意すべきなのかを理解する必要があります。

実は、**原因を突き止めて病気の診断をするという通常の手法を諦めた結果がチェックリスト方式なのです**。というのも、精神医学はずっと精神疾患の原因を探し求め、発症メカニズムを解明しようと努力し続けてきたのですが、いまだにその成果が出ていないのです。脳に何らかの原因があるはずだという前提で死者の脳から生きている患者の脳まで徹底的に調べてきましたが、結局何ら決定的なものは見つかっていないのです。そのため、特徴的な症状に名前を付けて分類し、チェックリスト方式でいくつ当てはまればそれに該当するということにしたのです。

その診断手法を操作的診断手法と呼び、分類はあくまでも便宜上のものに過ぎず、いわゆる病気（疾患＝disease）として客観的にその存在が証明されたものとは異なります。その便宜上の分類は「病気」ではなく「診断名」であり、しばしば個別に○○障害(*)と呼ばれています。あくまでも人間が便宜的に定めた分類であるため、運用するなかで矛盾や不都合が生じるのは当然であり、診断基準の見直しが定期的に必要になります。診断基準の改訂によって個別の分類である診断名が削除されたり統合されたりします。

原因を突き止めて診断するのと、表面的な症状のみから診断するのとではまったく違います。異なる原因で同じ症状を示すことがあるからです。腹痛に対して腹痛病と診断するようなものです。同じ腹痛であっても食中毒による腹痛と盲腸炎による腹痛と尿管結石による腹痛はまったく違うものであり、対処法も異なります。同様に、うつ症状を示したとしても原因は様々です。失恋による一時的なうつかもしれませんし、甲状腺機能低下症によるうつかもしれませんし、肝炎治療に使われるインターフェロンが誘発するうつかもしれません。そのため、たとえ現れている症状がチェックリストに該当していても、直ちにその診断を下すというわけではありません。その症状を引き起こす他の病気や身体的要因の可能性を除外していく必要があるのです。

その可能性を全部排除し、目の前の患者の示す症状が、その想定された分類に該当しそうだと医師が**主観的に**判断することで診断名が付けられるのです。ちなみに、その症状によって苦

＊　この場合の障害は disorder の訳語になるが、聴覚障害（hearing impairment）など別の概念である障害と混同されやすく、「一生治らない」「器質的な欠損」のような誤ったイメージを持たれることも多いが、本来 disorder は正常な状態から外れているという程度の意味である。なお、２０２２年に発表されたＤＳＭ-５の改訂版（ＤＳＭ-５-ＴＲ）の日本語版では disorder が「症」と翻訳されている。

痛や不都合を生じていないようであれば、無理にその診断を下さないという原則もあります。

さて、お気付きの通り、**この診断プロセスは科学的ではありません**。医師の知識や経験、視点によって下される結果が異なってしまうからです。実際、3人の精神科医が同じ患者を診ても、3人が3人まったく異なる診断を下すという現象も珍しくありません。それにもかかわらず、精神医学がこの科学的とは言えない操作的診断手法を採用したのは「それでもマシ」だったからです。それ以前の診断手法は医師間でもっと結果にばらつきが出ていたのです。チェックリストという基準が設けられたため、経験に左右されないマニュアル的な診断が可能となり、医師間の結果のばらつきが改善されたのです。

だからと言って、チェックリスト方式の診断手法やそこから導かれる診断が医学的、科学的に正しいというわけではないことに注意しなければなりません。精神医学には限界があり、原因や発症メカニズムを解明し、バイオマーカー（ある疾患の有無や進行状態を示す目安となる生理学的な指標のこと）に基づいて客観的に診断するという標準的な診断を追求してきましたが、どうあがいても実現不可能であったため、最悪よりはマシという手法を採用したに過ぎないのです。

チェックリスト方式の診断基準や手法自体に問題があり、精神医学の専門家からも非科学的であるという批判が絶えないのは事実ですが、それでもその限界や危険性を理解して使う専門家はまだ信用できます。**危険なのは、その弊害を知りながらもまるで万能で科学的であるかの**

**ようにチェックリストを神格化して安易な使用を推奨する権威と、何も理解せずチェックリストを安易に用いてマニュアル診断を乱発する現場の精神科医（及び精神科医もどき）です。**

チェックリストに該当するというだけで安易に診断を下すような「チェックリスト診断」「マニュアル診断」は本来許されないものです。診断基準を作成した責任者らも安易な使用を戒めています。

ところが、メンタルクリニック開業ブームで雨後の筍のように乱立した精神科医や精神科医もどきによって、初診たった数分の診断で簡単にうつ病などと診断を下し、機械的に薬を出すというずさんな診療が横行してしまいました。それは、薬の売上を求める製薬会社にとって都合の良い話でした。見て見ぬふりをするどころか、むしろ「権威」を使って安易な診断と投薬がセットではびこるよう促進していた節もあります（批判が高まると露骨なこともできなくなりましたが）。

さて、このような精神疾患の診断に使われるチェックリストは、本来は診断する権限のある専門家（日本では医師のみ）が用いるものであり、素人に使わせるものではありません。なぜならば使用に当たって厳密に守るべき注意点があるからです。医師ですら理解できずに現場で誤った使い方が横行しているのに、素人が自己判断や他人の評価に使ったら目も当てられない状態になるのは必然です。しかし、そのタブーを平気で犯しているのが精神医療ビジネスなのです。

何の前触れもなく目にした広告や記事、テレビ番組で、「〇個以上当てはまるとあなたもうつ病かもしれません」という文言と共にチェックリストが並んでいたら、気になって無意識に自己採点してしまうのも自然なことです。特に日本人は占いや性格診断が大好きな人が多いので、そのノリでやってしまうかもしれません。その結果に驚き、不安になって精神科を受診するという人々が一定数出るのは当然でしょう。

一般大衆に向けたチェックリストは、一般市民と精神医療ビジネスの最初の接点になるのです。これを入り口としてその毒牙にかかり、取り返しのつかない被害に遭った人は無数に存在します。当然、精神医療ビジネスの推進側は、チェックリストに根拠はある、うつ病の可能性を指摘しているだけで間違ったことは言っていない、などと正当化することでしょう。しかし、ここまで説明してきた通り、これらは**チェックリストの乱用に他なりません**。そしてその結果、**過度に不安が煽られることが問題なのです**。

## 霊感商法的になり得る精神医療ビジネス

悪徳商法の一種として霊感商法が挙げられます。消費者契約法によると「当該消費者に対し、霊感その他の合理的に実証することが困難な特別な能力による知見として、当該消費者又はその親族の生命、身体、財産その他の重要な事項について、そのままでは現在生じ、若しくは将来生じ得る重大な不利益を回避することができないとの不安をあおり、又はそのような不安を抱いていることに乗じて、その重大な不利益を回避するためには、当該消費者契約を締結することが必要不可欠である旨を告げること」が契約の取り消しの対象となる行為として説明されています。これがいわゆる霊感商法を示します。

さて、もしもここで精神科治療は霊感商法と一緒だと言おうものなら、精神科関係者は侮辱するなと顔を真っ赤にして怒り出すことでしょう。しかし、それは必ずしも荒唐無稽な誹謗中傷というわけでもありません。なぜならば、精神科で取り扱うものは目に見えないものであるため、精神科治療はやり方によっては霊感商法的になり得るからです。チェックリストの乱用がベースにあるうつ病キャンペーンや発達障害キャンペーンも、先鋭化することで霊感商法色を帯びてくるのです。

私はこれまでに「診察室に入ってきた瞬間にその人が統合失調症かどうかなど秒でわかる」と豪語する精神科医に会ったことがあります。初診わずか30秒でうつ病と診断する精神科医を知っています。何の検査も経過観察もなく初診わずか３分の問診でＡＤＨＤと診断する精神科医を知っています。これらは、現代の精神医学の水準からするとあり得ない能力です。もはや神業と言っても良いでしょう。

なぜならば、前述した通り、精神疾患や発達障害を客観的に判断する手段が存在しないため、似たような症状を示すあらゆる可能性を慎重に除外し、その診断に該当する可能性が高いというところまで突き詰めてようやく診断を下すのが通常だからです。それを秒単位でこなせる人など存在しません。まさに「霊感その他の合理的に実証することが困難な特別な能力による知見」と言わざるを得ません。

しかもそのような「特別な能力」を持った精神科医ほど、「今すぐ薬を飲まないと大変なことになる」などと脅して治療を強要しようとする傾向にあります。患者や家族は専門的知識を持たないため、その精神科医の診断や治療が正しいのかどうかなど、すぐには判断できません。その上に過度に不安にさせられるため、正常な判断ができずに従わざるを得ないという状況が簡単に出来上がってしまいます。これは、まさに霊感商法そのものと言っても過言ではないのではないでしょうか。

とはいえ、現実的な話になるのですが、このような被害を受けて消費者センターや保健所に苦情を申し立てしたところで、ちゃんと取り扱ってはもらえないでしょう。なぜならば医師には裁量権があるため、医学的な知見に基づいて判断したと主張されてしまったら、もはや行政機関は手も足も出ないからです。医学を隠れ蓑にしているために取り締まられないというのが現実です。

さて、ここで私は霊感商法を擁護したいわけでも、精神科診断・治療をこき下ろしたいわけでもありません。「特別な能力」を持った精神科医を過度に一般化させるつもりもありません。精神医療ビジネスの中には、霊感商法として非難されている悪徳商法と変わらないどころか、

**もっと深刻な被害へと発展し得るものがある**点を説明したいのです。

占い師や霊媒師から「このまま先祖の供養をしないでいると将来事故にあって大変な目に遭う。それを防ぐにはこの御守りを購入して身につけなければならない。」と説明を受けるのと、精神科医から「あなたはうつ病でありセロトニンが不足するという脳の病気を抱えている。このままでは悪化して自殺してしまう。それを防ぐには薬を服用して治すしかない。」と説明を受けるのとでは、人々はどちらを信用するでしょうか。圧倒的に後者でしょう。なぜならば、占い師や霊媒師の知見が科学的根拠に基づいていないことなど周知の事実であり、一方で医師免許を持った医師は科学的根拠に基づいた診断や治療をするはずだという前提と世間の合意が存在するからです。

だからこそ、医師免許を持った人が、まさか科学的根拠のないことを主張して患者を過度に不安にさせ、健康被害を引き起こすような治療を強制するなど到底あり得ない話であり、**患者にとって想定もされていないことなのです**。

チェックリストで不安になって精神科を受診し、そこでいとも簡単にうつ病と診断を下され、その際に「脳の病気である」と断定的に説明され、「このまま治療を受けないと悪化して自殺することもある」と脅され、「それを回避する唯一の手段が薬物療法である」と断言されたという経験のある人は無数に存在します。発達障害についても、「早期に受診させて治療を始めないと将来大変なことになる」と脅されて子どもを受診させ、「脳の先天的な障害だ」と言われて絶望し、「薬物療法で症状を緩和させるしか方法はない」と脅されて投薬治療を泣く泣く開始した親も大勢います。霊感商法被害と違い、巨額の金銭を騙し取られたわけではないかもしれません。そもそも主治医は最初から騙すつもりなどなく、むしろ良かれと思い、自分の意に従わせることが無知蒙昧な患者や家族のためだと心底信じ、助けようとする意図でそのような行動に走ったのかもしれません。しかし、その結果として取り返しのつかない健康被害や不利益が生じてしまったのであれば、単なる霊感商法よりも性質が悪く、**簡単には救済の対象とならない**という点においても救われない話です。

## 発達障害バブルを引き起こしたチェックリスト

２０２３年9月11日、Yahoo! ニュースのトップにある記事が掲載されました。その見出しは「通常学級の３人に１人が発達障害」「発達障害の増加で『児童精神科の初診までの待機』が長期化」という衝撃的なものでした。これは、東洋経済 education × ＩＣＴ編集部による特集記事であり、東洋経済オンラインに掲載されたものが Yahoo! ニュースにも転載されていました。発達障害バブルもついにここまで来てしまったのか、と私も驚きましたが、どうやらその数値は誤りだったようで、その後こっそりと11人に１人と訂正されていました。

とはいえ、11人に１人という数値すら正しくありません。なぜなら、その根拠とされている文部科学省の発表は発達障害の割合でも可能性ですらもないからです。「通常学級の11人に１人が発達障害」という見出しは**完全にフェイクニュースです**。なぜこのようなことが起きてしまうのでしょうか。諸悪の根源は２００２年2月から3月にかけて全国の小中学校で実施された「通常の学級に在籍する特別な教育的支援を必要とする児童生徒に関する全国実態調査」において使用されたチェックリストです。

このチェックリストは２０１２年と２０２２年の同様の調査で使用されただけではなく、発達障害の疑いのある児童生徒を評価する際の指標や基準として教育現場で使われるようになりました。

私は、**このチェックリストこそが教育を破壊した元凶だと考えています**。そして、このチェックリストに基づいた調査結果が初めて公表された２００２年10月21日は、日本にとってターニングポイントであったと確信しています。その調査結果の不適切な発表と、それに伴う不適切な報道が完全に日本を変えてしまいました。そこから発達障害バブルが始まり、発達障害ビジネスに子どもも親も振り回される結果となったのです。そしてそれは現在ますます猛威を振るっています。

このチェックリストは、文部科学省が招集した調査研究会によって作成されました。そこには、都立梅ヶ丘病院副院長（当時）であった児童精神科医の市川宏伸氏など、その後日本の発達障害施策の中心となる人物が名を連ねていました。発達障害のうち学習障害（ＬＤ）とＡＤ

HD、高機能自閉症について、診断基準に基づいてスクリーニング（ふるい分け）などに使われるようになった海外のチェックリストを参考に、調査研究会の専門家が独自に作り上げたのがこのチェックリストです。

同チェックリストに基づいて、医師や心理カウンセラーではなく教員が児童生徒ひとりひとりに対して点数制で評価したのがその実態調査なのですが、チェックリストの各項目を冷静に読んでみると噴飯ものと言わざるを得ない内容です。章末に**問題ある75項目のチェックリスト**を掲載しておくので是非ご確認ください。

「初めて出てきた語や、普段あまり使わない語などを読み間違える」といった理解に苦しむものもあれば、「大人びている。ませている」「独特な表情をしていることがある」などと主観で評価せざるを得ないものもあり、「みんなから、『〇〇博士』『〇〇教授』と思われている（例：カレンダー博士）」「他の子どもは興味を持たないようなことに興味があり、『自分だけの知識世界』を持っている」といった、長所を摘み取りかねない内容まで含まれています。

もしもこのチェックリストがあくまでもその表題の通り、純粋に特別な教育的支援について調査する目的のみに使われたのであれば意味が違ったでしょう。問題は、その結果を発達障害（ひいては中枢神経の問題）と強引に結びつけてしまったことです。質問項目の内容は、発達障害の診断に使われるチェックリストが基になっているので、それを用いた結果は発達障害の割合を示すと安易に考えていることが調査結果をまとめた報告書からうかがえます。

２００２年10月21日付の「今後の特別支援教育の在り方について（中間まとめ）」において以下の記述が見られます。

「本年文部科学省等が実施した『通常の学級に在籍する特別な教育的支援を必要とする児童生徒に関する全国実態調査』の結果から、ＬＤ、ＡＤＨＤ、高機能自閉症により学習や生活について特別な支援を必要とする児童生徒も６％程度の割合で通常の学級に在籍していることが考えられる」（※２００２年の調査では６・３％という結果が出されていた）

しかし、このチェックリストを用いた調査結果をもって発達障害の割合だと論ずることはできません。なぜならば以下の問題点、矛盾点があるからです。

・チェックリスト診断が不適切であるように、診断基準のチェックリストに当てはまるからと言ってその障害（診断名）に該当するわけではない。
・同様の症状を引き起こす別の原因が除外されていない。例えば学習環境が整っていないことで能力がありながらも学年相応の学力がまだ身についていない場合も、学習障害による困難と区別できない。
・診断に使われる本家チェックリストを簡略化した海外のチェックリストを参考に作成して

いるため、本家から二重に改変されたチェックリストになっている。本家ですらチェックリスト診断ができないのに、二重に改変されたチェックリストを用いた結果に妥当性があるのか疑問がある。

・調査の留意点として「本調査は、担任教師による回答に基づくもので、学習障害（ＬＤ）の専門家チームによる判断ではなく、医師による診断によるものでもない。従って、本調査の結果は、学習障害（ＬＤ）・ＡＤＨＤ・高機能自閉症の割合を示すものではないことに注意する必要がある」と明記されている。

従って、通常学級の児童生徒の約６％が発達障害に罹患しているとしか受け取れないこの報告書の表現には非常に大きな疑問があります。専門家からも非難の声が上がりました。当時日本児童青年精神医学会の理事長であった山崎晃資氏も、この調査の手法や結果に対して以下のように疑問を呈しています。

調査研究協力者会議で議論されていた頃、発達障害の診断をするためには、乳幼児期の発達歴を詳細に調査し、面接や行動観察を繰り返すことが不可欠であることを文科省の調査官にはずいぶん説明したのですが、全部省かれてしまい、結局六・三％という数値が出てきたのです。確かあの数値が出た直後、日本児童青年精神医学会に担当した調査官がきて報告したのですが、会場が騒然となり、六・三％に対するクレームが出ました。**要するに、安易な評価尺度を作って、学級担任が横断的に評価した結果であり、出現率でも有病率でもないものです。**(*)

しかし、この6・3％あるいは約6％という数字はセンセーショナルに報道され、どんどんと一人歩きしていきました。有病率にはなり得ない数値が、様々な場面で有病率として扱われました。それは、発達障害者支援法の成立（2004年12月）に大きな影響を与えました。恐ろしいことに、この6％という数字は絶対的な指標となってしまったのです。それ以降、おかしな現象が多々見られるようになりました。例えば、教育現場では6％という数値を根拠として、30人学級では少なくとも2人発達障害の子がいるはずだという前提で発達障害探しが始まりました。

私は、この調査や発表について文部科学省に何度も抗議しました。しかし、彼らは頑として訂正や撤回はしませんでした。それどころか、同じ調査項目（チェックリスト）を用いた全国調査を実施し、2012年12月5日に「通常の学級に在籍する発達障害の可能性のある特別な教育的支援を必要とする児童生徒に関する調査結果について」と題して調査結果を発表しまし

＊　加藤敏・十一元三・山崎晃資・石川元「座談会　いわゆる軽度発達障害を精神医学の立場から再検討する」『現代のエスプリ』476号、2007年、10頁、太字筆者

た。当然のように、その結果はまたしても有病率であるかのように報道されました。

私は、「発達障害の可能性のある」という表現を用いたのは不適切だと改めて抗議しましたが、間違ってはいないと開き直られてしまいました。確かに論理的には誤ったことは言っていないかもしれませんが、実態に基づかない誤ったイメージを与える点や、根拠はないのに過度に不安にさせるという点で不適切です。「あなたは明日死ぬ可能性がある！」という表現は間違ってはいないものの不適切であるのと一緒です。

文部科学省は抗議に配慮したのか不明ですが、2022年の調査結果発表の際には「発達障害の可能性」という表現を一切使いませんでした。(*) 担当者にも電話で確認しました。しかし、報道は「公立の小中学生8・8%に発達障害の可能性」（毎日新聞2022年12月13日）などと（日経や読売、NHKなど他のメディアも同様の報道）、勝手に書かれてもいない表現を付け加えてしまいました。発達障害バブルの引き金となった2002年10月の報道から20年以上経ちましたが、結局報道機関の姿勢は何ら変わらず、引き続き発達障害バブルの片棒を担いでいるのです。

## 際限のないASDバブル

「日本において空気が読めないことは罪である」

そんな風潮が発達障害バブルを作り出す背景にあります。ほぼ単一民族国家であり同調圧力の強い日本では、その罪を犯してしまった場合に罰を受けることになります。空気を読むよう強要された上、それもできないと仲間外れにされたり、無視されたり、異常扱いされたりします。その風潮は特に集団生活を営む学校において顕著です。

米国人の知人から日本人のそんな性質がよく表れている面白いエピソードを聞かされたことがあります。彼が夜に歩いていると、横断歩道で信号待ちをしている日本人が大勢いました。車が通る気配もなかったのですが、日本人が律儀に信号を守っているのを見て彼は驚きました。米国ではそんな場合、信号を無視するからです。しかし、その後彼はもっと驚く光景を目撃しました。彼が信号無視して横断歩道を渡り始めると、ぞろぞろと他の日本人が続いたのです。つまり、そこにいた日本人はルールを重んじたのではなく、空気を重んじていたのです。

さて、そんな日本人の特性は必ずしも悪いだけではありませんが、空気を読むよう強要される社会と発達障害診断が悪い意味でマッチしてしまったのです。かつては空気が読めない場合はからかいや非難の対象になっただけでしたが、今や発達障害を疑われるようになったのです。

＊　文部科学省「通常の学級に在籍する特別な教育的支援を必要とする児童生徒に関する調査結果（令和4年）について」令和4年12月13日
https://www.mext.go.jp/content/20230524-mext-tokubetu01-000026255_01.pdf

子どもでも大人でも、自分の発言や行動が周囲から否定されるのは辛いことです。自分の素の姿を表に出すと、すぐに「空気読め」「KY」などと責められるという体験を繰り返していると、自分のことをおかしいと認めたくない気持ちと本当はおかしいのかもしれないと不安に思う気持ちが葛藤することになるでしょう。

さて、発達障害バブルと呼ばれる現在において、中でもASD（自閉症スペクトラム障害）の診断が異常なほど急増しています。毎年発達障害の実態調査をしている長野県教育委員会によると、県内の公立小・中・義務教育学校全体で、ASDと診断・判定を受けている児童生徒の割合は2003年度の0・13％から2023年度の3・23％に急増しています(*)。

世界的にASDの有病率は増加傾向にあり、米国でも2000年に8歳のASDの有病率が0・67％でしたが、2020年には2・76％になっています（米疾病管理予防センターの調査）。米国ではASDの急増や過剰診断が社会問題になっていますが、それでも日本の方が高い数値を示しています(**)。

横浜市西部で5歳児までの累積発生率は3・74％、5歳児のASD有病率は4・48％（横浜市西部地域療育センター、2012年9月発表(***)）、弘前市における5歳のASD有病率が推定3・22％（弘前大学、2020年5月発表(****)）、日本全体の自閉スペクトラム症の累積発生率は5歳で2・75％（信州大学2021年5月発表(*****)）という研究があります（ASDの性質上、数値の大きさとしては一般的に5歳のASD累積発生率、5歳のASD有病率、8歳のASD有病率の順に高くなる）。

　さて、日本ではそのＡＳＤのラベリングが空気を読まない子どもへの圧力として使われるようになっているのです。世間ではＡＳＤの早期発見・早期支援がしばしば美談として語られます。ＡＳＤでありながらそれに気付いていなかった子どもが、その特性によって周囲とのコミュニケーションがうまくいかず、仲間外れにされがちだったが、ＡＳＤだと判明したことで本人もなぜ自分がそうなっていたのか理解できた、周囲もＡＳＤについて知ることでその子の特性についても理解できるようになった…といった具合です。しかし、実際にはそんな美談ば

＊　長野県「令和５年度 発達障がいに関する実態調査の結果について」
https://www.pref.nagano.lg.jp/kyoiku/kyoiku/tokubetsushien/documents/r5jittaikekka.pdf

＊＊　Centers for Disease Control and Prevention " Data & Statistics on Autism Spectrum Disorder" ,Page last reviwed: March 2,2022　https://www.cdc.gov/ncbddd/autism/data.html

＊＊＊　今井美保・伊東祐恵「横浜市西部地域療育センターにおける自閉症スペクトラム障害の実態調査―その１：就学前に受診したＡＳＤ児の疫学―」『リハビリテーション研究紀要』23号、41〜46頁、２０１４年
http://www.yokohama-rf.jp/common/pdf/bulletin/23-10.pdf

＊＊＊＊　国立大学法人弘前大学「５歳における自閉スペクトラム症の有病率は推定３％以上であることを解明〜地域の全５歳児に対する疫学調査を毎年実施〜」２０２０年５月28日
https://www.hirosaki-u.ac.jp/wordpress2014/wp-content/uploads/2020/05/20200528_press.pdf

＊＊＊＊＊　国立大学法人信州大学「日本の自閉スペクトラム症の累積発生率は５歳で２・75％―全国の診療データベースを用いた大規模疫学調査―」２０２１年５月13日
https://www.shinshu-u.ac.jp/faculty/medicine/chair/i-seishin/jamaopen2021pressrelease.pdf

かりではありません。正しいかどうかもわからないそのラベリングによって苦しんでいる子もいるのです。

これまで説明してきた通り、たとえＡＳＤだと専門家に診断されたとしても、あくまでもその可能性が高いというだけであり、一般的に言われる「先天的な脳機能障害」であることが客観的に証明されたわけではありません。しかし、それは本人にとってみれば「あなたの脳は生まれつきおかしい」「一生治らない」と宣告されるようなものです。空気を読めと言われるだけならまだ耐えられたとしても、そのような宣告を受けて何の葛藤もショックもなく受け入れることは困難でしょう。

葛藤の結果、そのラベリングや自分の脳のおかしさを受け入れざるを得なくなった場合、自分はＡＳＤだとして開き直るか、あるいは自己防衛のために本来の自分ではない周囲に受け入れられるような別の人格を作り出さないといけなくなるでしょう。ある中学生の子は、「薬を飲むと自分が自分ではなくなるので本当は飲みたくないけど、親は薬を飲んだ時の自分が好きだから、飲まないといけない」と私に本音を話してくれました。また別の中学生の子は、「薬が切れて本当の自分に戻るのが怖い」と表現していました。このように診断や治療に苦しむ子は存在しても、その声は周囲に届きません。なぜならば、学校も保育園も子ども園も、集団行動ができない子に目を光らせ、早期に診断や治療、支援につなげることが何よりも重要であると教育を受け、前のめりになっているからです。

その具体例として、旭川女子中学生いじめ凍死事件の被害少女の事例を紹介します。以下は、少女の母親の手記からの抜粋です。

爽彩が小学校４年生のとき、私たち親子にとって大きな出来事がありました。ある日、爽彩が学校から泣いて帰ってきたことがあって。担任の先生に理由を聞いたら、学芸会の演劇の総練習のときにみんながステージの裏で喋っていて、先生が注意しても静かにならないから、「もう劇には出しません。みんなで謝りに来なさい」と、怒ったそうです。そのときに、クラスのみんなは先生に謝りに行ったけど、爽彩は１人だけ謝りに行かなかったそうです。

次の日、先生に「なんで謝りに来なかったのか？」と聞かれて、爽彩は「周りの子が喋っていたけど、自分は喋ってないから」と答えた。それでも先生は、爽彩が謝るべきだということを説いたそうですが、あの子は決して謝らなかったそうです。それで、爽彩はその日「先生に怒られた」と泣いて帰ってきた。先生からは「これだけ話して謝らないのはおかしい」と言われ、病院へ行くことを勧められました。（文春オンライン特集班「娘の遺体は凍っていた　旭川女子中学生イジメ凍死事件」、文藝春秋、２０２１年）

結局、少女は病院に連れて行かれ、ＡＳＤと診断された上で薬を服用するようになりました。私はこの教員の対応が腑に落ちません。非があるのはしゃべっていた周囲の児童と、その指導に失敗した教員であり、しゃべっていなかった少女に非はありません。頑なに謝らなかった少女の対応は間違っていません。空気を読んで他の子と一緒にしゃべった方が良かったのでしょうか。非がなくとも空気を読んで先生に謝っておけば良かったのでしょうか。理不尽に叱られた上におかしいから病院に行けと言われてショックを受けない子などいるのでしょうか。

実は、この少女の例は決して特殊ではありません。自分の指導力不足を棚に上げ、すぐに発達障害扱いをして受診を勧めるような事例は至るところで起きています。滋賀県野洲市では、市内の小学校において教員による児童へのいじめ行為が発覚し、２０２２年9月30日付で謝罪文が同市のＨＰで発表されていますが、個別懇談会で当該教諭が保護者に対して「○○君はＡＤＨＤなので、早急に発達検査を受けるべきです。薬を飲んだら落ち着くんじゃないかな」と突然伝え、保護者に不安を抱かせたことが書かれてあります。

ＡＳＤの有病率は当初0・65～1％と想定されていたことを考慮すると、日本では明らかに過剰診断という状況です。(*) つまり、本来はＡＳＤとされるべきではない子が不当に診断されているということです。その理由は「発達障害グレーゾーン」などと言う言葉が流行り、ＡＳＤと健常児の境界線がますますあいまいになる中、なんでもかんでもＡＳＤとみなして診断を下す専門家と、受診へとつなぐ人々が増えたからだと考えられます。

発達障害も精神疾患もチェックリスト方式の操作的診断手法によって診断されるのですが、

たとえその症状が出ていたとしても、本人がそれによる苦痛や生活上の困難を感じていないのであれば診断を下さないという原則があります。つまり、周囲がその人を許容し、本人が問題なく生活できているのであればその診断は必要なくなるため、社会の許容度によって診断率が変化するのです。空気を読むことを強要するような、許容度の低い環境であれば、ＡＳＤの診断率が上昇することになります。まるで魔女狩りのように発達障害探しやラベリングが行われていくと、際限なくバブルが続く悪循環となります。

＊「カプラン臨床精神医学テキスト　ＤＳＭ-５診断基準の臨床への展開第３版」井上令一監修、四宮滋子、田宮聡訳、メディカルサイエンスインターナショナル、２０１６年

## 問題ある75項目のチェックリスト

〈質問項目〉

「聞く」「話す」「読む」「書く」「計算する」「推論する」

・聞き間違いがある（「知った」を「行った」と聞き間違える）
・聞きもらしがある
・個別に言われると聞き取れるが、集団場面では難しい
・指示の理解が難しい
・話し合いが難しい（話し合いの流れが理解できず、ついていけない）
・適切な速さで話すことが難しい（たどたどしく話す。とても早口である）
・ことばにつまったりする
・単語を羅列したり、短い文で内容的に乏しい話をする
・思いつくままに話すなど、筋道の通った話をするのが難しい
・内容をわかりやすく伝えることが難しい
・初めて出てきた語や、普段あまり使わない語などを読み間違える
・文中の語句や行を抜かしたり、または繰り返し読んだりする
・音読が遅い

・勝手読みがある（「いきました」を「いました」と読む）
・文章の要点を正しく読みとることが難しい
・読みにくい字を書く（字の形や大きさが整っていない。まっすぐに書けない）
・独特の筆順で書く
・漢字の細かい部分を書き間違える
・句読点が抜けたり、正しく打つことができない
・限られた量の作文や、決まったパターンの文章しか書かない
・学年相応の数の意味や表し方についての理解が難しい（三千四十七を３０００４７や３４７と書く。分母の大きい方が分数の値として大きいと思っている）
・簡単な計算が暗算でできない
・計算をするのにとても時間がかかる
・答えを得るのにいくつかの手続きを要する問題を解くのが難しい（四則混合の計算。２つの立式を必要とする計算）
・学年相応の文章題を解くのが難しい
・学年相応の量を比較することや、量を表す単位を理解することが難しい（長さやかさの比較。「15㎝は１５０㎜」ということ）
・学年相応の図形を描くことが難しい（丸やひし形などの図形の模写。見取り図や展開図）

・事物の因果関係を理解することが難しい
・目的に沿って行動を計画し、必要に応じてそれを修正することが難しい
・早合点や、飛躍した考えをする（0：ない、1：まれにある、2：ときどきある、3：よくある、の4段階で回答）

「不注意」「多動性－衝動性」

・学校での勉強で、細かいところまで注意を払わなかったり、不注意な間違いをしたりする
・手足をそわそわ動かしたり、着席していても、もじもじしたりする
・課題や遊びの活動で注意を集中し続けることが難しい
・授業中や座っているべき時に席を離れてしまう
・面と向かって話しかけられているのに、聞いていないようにみえる
・きちんとしていなければならない時に、過度に走り回ったりよじ登ったりする
・指示に従えず、また仕事を最後までやり遂げない
・遊びや余暇活動に大人しく参加することが難しい
・学習課題や活動を順序立てて行うことが難しい
・じっとしていない。または何かに駆り立てられるように活動する
・集中して努力を続けなければならない課題（学校の勉強や宿題など）を避ける

・過度にしゃべる
・学習課題や活動に必要な物をなくしてしまう
・質問が終わらない内に出し抜けに答えてしまう
・気が散りやすい
・順番を待つのが難しい
・日々の活動で忘れっぽい
・他の人がしていることをさえぎったり、じゃましたりする（０：ない、もしくはほとんどない、１：ときどきある、２：しばしばある、３：非常にしばしばある、の４段階で回答）

「対人関係やこだわり等」

・大人びている。ませている
・みんなから、「〇〇博士」「〇〇教授」と思われている（例：カレンダー博士）
・他の子どもは興味を持たないようなことに興味があり、「自分だけの知識世界」を持っている
・特定の分野の知識を蓄えているが、丸暗記であり、意味をきちんとは理解していない
・含みのある言葉や嫌みを言われても分からず、言葉通りに受けとめてしまうことがある
・会話の仕方が形式的であり、抑揚なく話したり、間合いが取れなかったりすることがある

・言葉を組み合わせて、自分だけにしか分からないような造語を作る
・独特な声で話すことがある
・誰かに何かを伝える目的がなくても、場面に関係なく声を出す（例：唇を鳴らす、咳払い、喉を鳴らす、叫ぶ）
・とても得意なことがある一方で、極端に不得手なものがある
・いろいろな事を話すが、その時の場面や相手の感情や立場を理解しない
・共感性が乏しい
・周りの人が困惑するようなことも、配慮しないで言ってしまう
・独特な目つきをすることがある
・友達と仲良くしたいという気持ちはあるけれど、友達関係をうまく築けない
・友達のそばにはいるが、一人で遊んでいる
・仲の良い友人がいない
・常識が乏しい
・球技やゲームをする時、仲間と協力することに考えが及ばない
・動作やジェスチャーが不器用で、ぎこちないことがある
・意図的でなく、顔や体を動かすことがある
・ある行動や考えに強くこだわることによって、簡単な日常の活動ができなくなることがあ

る

・自分なりの独特な日課や手順があり、変更や変化を嫌がる
・特定の物に執着がある
・他の子どもたちから、いじめられることがある
・独特な表情をしていることがある
・独特な姿勢をしていることがある（0：いいえ、1：多少、2、はい、の3段階で回答）

# 第2章　精神医療ビジネスの構造

## 合法的に金儲けできるシステムの危険性

精神医療ビジネスは大きく2つに分けられます。それが合法か違法かです。どちらが悪質かと問われたら、当然違法な精神医療ビジネスの方でしょう。犯罪行為だからです。では、少し質問を変えてみましょう。どちらがより世の中に悪影響をもたらすでしょうか？

結論から言うと、**合法精神医療ビジネスの方がはるかに大きな影響があり、それこそが私の注意喚起したい対象なのです**。違法ということは取り締まりの対象であり、誰もが悪いものと認識することが可能です。違法行為は論外ですが、合法であれば何でもして良いわけではありません。法の抜け穴を利用するような脱法行為は、法には触れなくても大抵倫理（医療倫理や専門職の倫理指針など）から外れています。しかし、合法の範囲内である故に人々がそれを悪いものだと認識しづらいのです。

たとえ脱法行為であったとしても患者を良くしているのであれば、私は特段それに対して文句を言いません。医療に関わる法令や保険診療の体系が現実的ではなく、むしろ良質な医療を提供しようとしている人々の足かせとなっていることもしばしばあるからです。患者のために、良い意味で違反すれすれで頑張っているケースまで一律に非難するつもりはありません。

私が非難の対象とするのは、患者の命や健康、尊厳を犠牲にして金儲けをするような治療です。それは、医療行為に見せかけただけの、実質的には虐待、拷問、差別、詐欺に相当する行為です。犯罪的ではありますが、医師の裁量権に守られている以上、法改正でもしない限り犯罪としての立件は困難です。そして、そのような行為が野放しにされるほど、国民全体のメンタルヘルスは悪化し、社会保障費の財源が食いつぶされ、本当に支援が必要なところに行き届かなくなるという状況に陥ります。

脱法精神医療ビジネスは、現時点においてはいわゆるグレーです。業界内外で一定の批判はあるものの、現時点においては合法であるために取り締まりができないという状況です。これは、批判の声が高まれば将来的に法改正によって違法になるか、診療報酬の改訂によって制限される可能性があります。

もっと厄介なのは、同じ合法という範疇ではあるものの、脱法的ではない精神医療ビジネスです。つまり、法的にはグレーでも何でもなく、世間からの批判もほとんどないタイプです。現時点においては問題とされていない（ごく一部の人のみが声を上げているだけで無視されている）だけで、何十年か経ってようやく大問題になり、検証されるということも十分に起こり得るのです。特に、国が政策誘導などで精神医療ビジネスに関わっていた場合、過ちを絶対に認めないという我が国の政府の特性と、お上を無条件に信じてしまう国民性から、悲惨な結果にならない限り過ちが検証されないという状況に陥ってしまいがちです。

順法精神という観点から精神医療ビジネスの悪質性を評価すると、違法精神医療ビジネス、脱法精神医療ビジネス、（国の政策誘導に関わる）合法精神医療ビジネスの順に高くなりますが、国民への悪影響という観点から評価した場合はその逆の順番になります。

さて、私が日本支部代表世話役を務める市民の人権擁護の会（Citizens Commission on Human Rights）は、精神科医のトーマス・サズ博士とサイエントロジー教会によって設立された１９６９年以来、一貫して「精神医学（精神医療）を法の下に戻す」という目的を掲げて活動してきました。本来は法によって規制されるべき、根拠の無い危険な治療、精神障害者に対する差別的・非人道的な処遇、強大な権限を振りかざす精神科医による患者の搾取などが長年放置されてきたのが精神医療の現場です。その法を超えてしまった存在を本来の位置に戻すのが我々の活動です。

すでに違法となっているものは取り扱いが楽です。単に既存の法律をちゃんと運用し、取り締まるよう求めるだけで良いからです。我々の活動の真骨頂は、まだ取り締まりの対象となっていない問題を取り上げ、最終的にそれを法整備によって規制する（すなわち法の下に戻す）というものです。ですから、違法な精神医療ビジネスについて目を光らせつつ、**皆がその危険性について気付いていない合法な精神医療ビジネスの危険性について啓発することが鍵になります。**

本章では、違法・合法の精神医療ビジネスの構造について明らかにしていきます。

## 診療報酬を不正請求する手口

違法精神医療ビジネスの典型は診療報酬の不正請求です。いくつも手口があるのですが、まずはどのような摘発事例があるのか具体的に列挙してみましょう。

○詐欺・不正請求で摘発された精神科クリニック

・2013年2月20日、関東信越厚生局は、京成江戸川クリニック（江戸川区）院長の保険医登録を取り消す行政処分を発表した。同院長は、唯一の医師であった自分自身が入院中もクリニックを開かせ、資格の無い従業員に向精神薬を処方させていたとして、既に医師法違反で有罪となっていた。

・2014年10月15日、東海北陸厚生局は、名倉ストレスクリニック（静岡市）の保険医療機関指定と、同院長の保険医登録を取り消す行政処分を発表した。院長は実際には診察していない患者59人分の診療報酬を請求し、約250万円不正に受け取っていた。診療を受けていない日の領収書が患者に渡されたため発覚した。

・2015年3月4日、九州厚生局は心サポートクリニック（佐世保市）院長の保険医登録を取り消す行政処分を発表した。同クリニックは、カルテを偽造して架空請求したり、医師資格の無い事務長に診察させたりするなど、診療報酬約1432万円を不正に受け取っていた。

・2017年5月18日、関東信越厚生局はフロッギーズクリニック（東京都世田谷区）の保険医療機関指定と、同院長の保険医登録を取り消す行政処分を発表した。実施していない精神科デイ・ナイト・ケア等の診療報酬請求があったとする匿名の情報提供をきっかけに不正が発覚した。

・2019年1月15日、那覇市内の2つの精神科クリニック「小禄西クリニック」「パークサイド・メンタルクリニック」の開設者や元施設長などに対し、6市町が不正請求分の返還などを求めた訴訟の判決が那覇地裁であり、約8300万円の支払いを命じた。

・2019年6月14日、近畿厚生局は、診療報酬の不正請求（185件、31,590,139円）で詐欺に問われ、実刑が確定していたクリニックやすらぎ八木診療所（奈良県橿原市）院長であった精神科医の保険医登録取り消し処分を発表した。

・2020年1月24日、近畿厚生局は、不正請求が発覚した高島クリニック（大阪市）の保険医療機関指定の取り消しを決定した。精神科デイ・ケアの施設基準の届出について、実際には必要な専従者である看護師が勤務していないにもかかわらず、勤務している旨の事実と異なる届出を行い、診療報酬を不正に請求していたことが認定された。

・2021年2月12日、診療報酬を不正請求したとして詐欺の疑いに問われていた長柄メンタルクリニック（千葉県長生郡長柄町）院長に対し、千葉地裁は懲役2年6月、執行猶予

4年を言い渡した。

・2021年12月24日、診療報酬の不正請求で有罪が確定し、医師免許停止3年の行政処分が下っていた、りんどう心のクリニック（鹿児島県垂水市）及び城西こもれび心療クリニック（鹿児島市）で院長を務めていた精神科医に対し、関東信越厚生局は保険医登録取り消しの行政処分を下した。

・2022年1月27日、厚生労働省は日本精神神経学会指導医・専門医、日本小児精神神経学会認定医、精神保健指定医・判定医である精神科医に対し、医業停止9月の行政処分を決定した。同医師は自身の離婚調停に当たり、診断書を偽造して提出した件で有罪判決を受けた上、院長を務めていた精神科クリニック（福本認知脳神経内科：神戸市）における不正請求で行政処分を受けていた。

・2022年1月27日、厚生労働省は清水診療所（京都市）院長であった精神科医に対し、医業停止3年の行政処分を決定した。同医師は訪問看護療養費の不正請求や、男性患者の個人情報を使用して同男性患者名義で住民基本台帳カードや口座、パスポートを不正に取得し、悪用した件で有罪判決を受けていた。

・2022年9月16日、近畿厚生局はほりうちこうりえんクリニック（大阪府寝屋川市）院長の保険医登録を取り消す行政処分を決定した。同医師は、架空請求などの不正請求をしていたことを認めていた。

・２０２３年2月16日、関東信越厚生局は、クリニックドクターメンタル（東京都港区）の保険医療機関指定の取り消しと、同院長の保険医の登録取り消しを発表した。監査によって少なくとも１３７件、2,562,797 円の不正請求が発覚していた。

さて、わかりやすい例として、最後のクリニックドクターメンタルの事例を取り上げましょう。関東信越厚生局が２０２３年2月16日付で発表した「保険医療機関及び保険医の行政処分について」では、【行政処分の主な理由】として以下のように記載されています。

当該保険医療機関及び保険医の監査を実施した結果、以下の事実を確認した。

(1) 実際には行っていない保険診療を行ったものとして診療報酬を不正に請求していた。（架空請求）

(2) 実際に行った保険診療に行っていない保険診療を付け増して、診療報酬を不正に請求していた。（付増請求）

(3) 実際に行った保険診療を保険点数の高い別の診療に振り替えて、診療報酬を不正に請求していた。（振替請求）

(4) 自費診療として患者から費用を受領しているにもかかわらず同診療を保険診療したかのように装い、診療報酬を不正に請求していた。（二重請求）

### (5) 保険医療機関又は患家以外の場所で定期的に診療を行い、これを保険診療として、診療報酬を不正に請求していた。(その他の請求)

厚生局は用語解説の中で、不正請求について「診療報酬(調剤報酬を含む。以下同じ。)の請求のうち、詐欺や不法行為に当たるもの。架空請求、付増請求、振替請求、二重請求、その他の請求に区分される。」と解説しています。つまり、この精神科クリニックでの不正はすべての区分を網羅していることになります。もはや何でもありだったことを意味しています。

この厚生局の発表には詳細な手口まで書かれていませんが、私のところに証拠と共に寄せられた情報では、同院長は家族の保険証を持ってくるように患者に指示し、一度も来院したことのない家族を診療したように装って架空請求していました。もちろんそれ自体悪質なのですが、その架空の診療で家族名義に処方した向精神薬を上乗せし、2人分の薬を当該患者に出していたのです。やはりこの精神科医も「特別な能力」を持っていたようで、通常使われるような量と種類を超えた向精神薬を使うことで「脳を変え、根本的に治すことができる」と患者に豪語していました。保険診療では向精神薬の処方量(1日あたりの量及び一度に処方できる日数分の量)に上限があることに加え、多剤処方した場合に診療報酬上のペナルティが発生するようになったため、その独特な治療に必要な量の向精神薬を出すために家族の保険証が必要だと院長はその患者を説得していたのです。

ちなみに、この院長は２０１５年1月24日に開始したブログに「都内有名クリニックチェーン店にて勤務している時には多くの患者様に通っていただきました。（中略）しかし診療方針が合わず、（7分で診療してくれ、などなど）このたび私の理想の診療が出来る場所を、と思いこうして開業の運びとなりました。」と書き込んでいます。患者よりも経営優先とも取れる、某ひらがな名の精神科クリニックチェーンの姿勢も問題かもしれませんが、好き勝手に不正に手を染めることができる「お山の大将」ポジションこそが、彼の理想の場所だったのでしょう。

一介の雇われ医師が、単独で不正請求に手を染めても何のメリットもありません。医療機関のトップか、少なくとも経理を手中にする立場でなければ、組織的な不正請求を実行するのは困難です。イエスマン従業員で固めたワンマン経営の精神科クリニックでは、咎める人が存在しないため、不正が横行しやすくなります。

## 職員水増しで億単位の大金を不正受給

では、医師が複数勤務するような精神科クリニックや病院の場合は不正請求が起こらないのでしょうか。残念ですがそういうわけでもありません。雇われ医師として複数の精神科クリニックを渡り歩いて来た、ある現役精神科医が私に告白してくれました。どこの精神科クリニックでも再診は5分で終わらせるように言われ、5分未満で終わった場合には5分診察したとカルテ上偽造し、本来5分未満の診療では算定できないはずの「通院在宅精神療法」を算定するように指導されていたそうです。

精神科病院での不正請求の鍵は職員水増しです。医師や看護職員が手厚い（入院患者数に比較して医師や看護職員の人数の割合が大きい）場合、基本的に入院料が高く算定されます。そのため、本来はカウントできないはずの清掃職員や事務職員を看護職員とみなしたり、パートタイムの非常勤職員を常勤であるかのように見せかけたり、名簿だけの幽霊職員をカウントしたりするという手口が横行しています。それは古典的でありながら王道の手口です。つまり、過去から現在まで精神科病院での不正請求と言えば職員水増しであり、その手法はずっと変わらないのです。

職員水増しは発覚が困難ですが、いざ発覚した場合恐ろしいことになります。不正に取得した金額がとんでもなく巨額になるからです。本来算定すべきであった金額との差が1日当たり数百円だったとしても、その単価に入院患者数を掛け、さらには水増し継続日数を掛けると、簡単に億単位の金額になるのです。以下、職員水増しで高額な不正受給が発覚した具体的な事例です。

1995年　門司田野浦病院（福岡県）：約2億2700万円不正受給
1995年　光ケ丘病院（山形県）：約7億円不正受給

1997年　美浦まきば病院（茨城県）：約6億5千万円不正受給
1997年　大和川病院（大阪府）：約24億円不正受給　※系列3病院合計
1999年　古賀第一病院（福岡県）：約10億円不正受給
1999年　大曲佐藤病院（秋田県）：約7億8千万円不正受給
2000年　勝山病院（福岡県）：約22億円不正受給
2012年　ホスピタル坂東（茨城県）：約4億5千万円不正受給

職員水増しの悪質さが認められたら、事務的ミスによる「誤請求」では済まされなくなります。誤請求であれば返金さえすれば許してもらえるので、病院を存続させることが可能となりますが、悪質だとみなされたら保険診療機関の指定取り消しの行政処分を受けることになります。それと並行して詐欺として刑事事件に発展することもあります。保険診療が不可になることは医療機関にとって死を意味することであり、閉鎖あるいは他の運営法人への事業譲渡となります。先ほど挙げた事例よりも不正額が少ないものの、不正が認められて保険医療機関指定が取り消された主な精神科病院として越川記念病院（神奈川、1994年）、朝倉病院（埼玉、2001年）、箕面ヶ丘病院（大阪、2002年）、倉敷森下病院（岡山、2013年）などが挙げられます。

ホスピタル坂東や倉敷森下病院の処分以降、この10年特に目立った不正請求事例がないので、精神科病院における不正請求は下火になったかのように見えます。しかし、それは単に発覚していないだけです。実際、色々な情報があります。

たとえば、埼玉県内の精神科病院（病院名非公表）は、２０２０年2月、関東信越厚生局より看護師の配置基準を満たしていない旨の指摘を受け、過大に診療報酬を請求していた事実が判明しました。埼玉県内はもちろん、都内からも入院患者を受け入れており、国保の被保険者のみならず生活保護受給者も含まれていたため、近隣自治体を巻き込んで大騒ぎとなっています。

足立区議会による「区民委員会議案説明資料」（２０２３年9月26日）によると、「医療機関の債務総額は、684,252,613円（足立区を含む49保険者）」となっており、返還が進まないことで埼玉県吉川市は越谷地方裁判所に訴訟を提起し、東京都後期高齢者医療広域連合も訴えの提起について議決しています。足立区もそれに続くことになり、今後さらに多くの自治体がそれに追随するものと見られます。

２０２２年末に職員による入院患者に対する虐待が発覚したふれあい沼津ホスピタルでは、職員水増しの問題も報道されています。２０２３年3月24日付の文春オンラインの記事では、本来はその病棟担当の看護師と看護助手のみが記載されてあるはずの病棟の勤務表に、別部署の看護師らが2人、看護とは関係のない清掃担当2人の計4人があたかも看護要員であるかのように記載され、入院基本料が不当に高く請求されていたことが暴かれています。明らかに不正で詐欺であり、保険医療機関指定取り消し処分を受けてもおかしくないはずですが、この件は結局過大請求分を返金することで手打ちになるようです。

結局のところ、保険医療機関取り消しの権限のある厚生局の裁量次第です。厚生局が不正請求だと認めたら医療機関名が公表された上で指定が取り消されますが、**過失による**不当請求・過大請求だとみなしたら返金で終わり、病院名も原則公表されません。不正請求をするような医療機関は、いざ発覚すると例外なく「不正の意図はなかった」「勘違いしていた」「事務的な誤りだった」と言い訳し、過失だったとして返金で終わらせようとします。厚生局は調査の権限はあっても犯罪捜査をする権限はありません。ですから、不正の意図がなければ不可能な架空請求ならともかく、職員の水増しだけでは、事務的なミスによる誤請求として逃げられてしまう可能性は高いでしょう。職員を水増しして不正に医療費を獲得するという違法精神医療ビジネスは、単に発覚していないだけで、あちこちで展開されていると考えられます。たとえ行政機関に発覚したとしても返金で内々に処理され、一般市民には何も知らされていないというのが現実でしょう。

## 精神医療ビジネスの重要な資金源

そのような中、とある精神科病院の不正の疑いが世間の注目を浴びています。その病院は東京都の八王子市にある滝山病院です。この病院の問題は改めて後ほど取り上げますが、同病院院長は、2001年に保険医療機関指定取り消しをされた朝倉病院の元院長であり、自身の保険医も同時に取り消し処分を受けていました。虐待問題で職員が逮捕されたことをきっかけに、不正請求の疑いも発覚し、2023年5月23日と8月31日、厚生労働省と東京都、八王子市が合同で調査を行っています。

一般的に、不正請求が認められた場合、健康保険法による保険医療機関の指定、障害者自立支援法による自立支援医療機関の指定、生活保護法による指定医療機関の指定がそれぞれ取り消されることになります。管轄する行政機関がそれぞれ異なり（厚生局、都道府県、政令指定都市・中核市）、それぞれに調査と行政処分の権限があるのですが、処分が公表されるまで一切の情報が秘匿されるのが特徴です。有力な情報を提供した内部告発者にすら、調査が開始されたのか、どこまで進展しているのかといった情報は伝えられません。ましてや、立ち入り調査の日程が行政機関側から漏れることは通常ありません。現役の病院職員に報道機関などへの内通者がいると考えるのが自然ですが、とにかく不正請求の疑いによる行政機関の立ち入り調査がニュースとして報道されること自体が異例なのです。

不正請求に対する世間の目が厳しくなってきているのは事実ですが、精神科病院でも精神科クリニックでも、不正請求は現在も横行しています。それを放置することは、保険診療ひいては医療そして社会保障全体を根幹から揺るがすことにつながります。

精神医療ビジネスの重要な資金源は以下になります。

・保険診療における公的医療保険の負担分
・生活保護受給者の医療扶助による公費負担
・自立支援医療費（精神通院）による公費負担（かつての通院医療費公費負担制度）

もしも医療費の全額が患者に直接請求される仕組みであれば、患者は自分が受けた医療の内容と請求が一致しているのかを積極的に確かめるでしょう。同時に、負担が大きくなるような無駄な治療や効果のない治療について拒否するようになるでしょう。しかし、現実には保険診療における精神科患者の負担は0〜3割です。公費負担制度によって自己負担がゼロという患者も珍しくないのですが、自分の財布が痛まないと、不正や無駄に関心をまったく持たなくなるどころか、むしろ「タダでもらえるものはもらっとけ」感覚で必要以上に治療を受けようとする心理が働いてしまいます。

現在は加入している健康保険から年に一回の医療費通知が届けられたり、医療機関で会計の際に医療費の明細書が発行されたりするようになっています。2018年度からは、公費負担によって自己負担のない患者（全額公費負担の患者を除く）についても、明細書の無料発行が義務づけられるようになっています。そのため、患者の身に覚えのない治療分の医療費がこっそりと不正に請求されてもまったく気付かないという状況からは改善されており、患者がそのような通知や明細から不正に気付いて摘発につながるケースも（精神科に限らず）増えています。

しかし、全額公費負担の患者に提供される医療については依然としてブラックボックスです。精神科病院に長期入院している患者や、病院やクリニックのデイケアに囲い込まれている患者は生活保護受給者が多く、自分にどんな保険診療上の治療が提供され、公費負担分としてどれだけ国や自治体に請求されているのかもわからない患者がほとんどでしょう。**公費負担制度は合法・違法を問わず精神医療ビジネスの温床となっています。**

## 精神病床数が世界一多い日本

日本は世界最大の精神病床（精神科病院のベッド）を有する精神科病院大国です。２０２２年10月１日時点で、32万１８２８床あり、(*) 世界中の精神病床の実に5分の1を有していると言われています。世界中の人口のわずか２％弱しか占めていないこの日本に、約20％の精神科病床があるということになります。さらに特徴的なのは、日本の精神科病床のほとんどが民間運営の医療機関に属しているということです。精神科病院の約8割が民間運営であり、それらが

＊　厚生労働省「医療施設調査」令和４年10月１日
https://www.mhlw.go.jp/toukei/saikin/hw/iryosd/22/dl/02sisetu04.pdf

精神病床の約9割を所有していることになります。

これには、精神保健を民間任せにしてきた日本の特異な歴史が背景にあります。すでに戦前から精神病床の3分の2が私立精神科病院に存在し、終戦直後も同比率でした。1919年には都道府県知事に精神科病院の設置を命じる精神病院法が作られましたが、第一次世界大戦がすでに始まり、国防費の増大で財源が不足していた背景もあって公立精神科病院はほとんど作られませんでした。終戦後も国と自治体は予算に余裕がなく、治安の問題にも頭を悩ませていました。そこに台頭してきたのが、私立の精神科病院経営者によって結成された日本精神病院協会でした。「世相の安定は精神病院の復興から」「社会の平和は精神病院から」「日本の再興は精神病院から」といった掛け声に同調する私立精神科病院の経営者が結束して作られたことがその設立趣意書（1949年）から読み取れます。

世の中には、戦後の精神保健を民間に丸投げしてきた政府の対応を非難する論調が多いのですが、私の見立ては少し違います。政府に大きな責任があることに間違いはありませんが、そのような対応をするようそそのかしてきた存在を見過ごしてはならないのです。そして何よりも**その手法が問題だったのです**。

1950年

日本精神病院協会が発足した翌年以降、以下が実現されました。

精神衛生法が成立。日本精神病院協会初代理事長の植松七九郎と二代目理事長の金子準二が同法の草案に関わり、同協会顧問であった中山壽彦参議院議員が中心となる議員立法の手続きを経て制定。これによって精神科病院院長の権限が強化され、強制入院や強制不妊手術が促進される。

1952年

旧優生保護法改正。「非遺伝性の精神病または精神薄弱者」も強制不妊の対象となる。

1953年

日本精神衛生会理事長内村祐之と日本精神病院協会理事長金子が連名で厚生省に陳情を提出。「精神障害者の遺伝を防止するため優生手術の実施を促進せしむる財政措置を講ずること」や精神病床の画期的増床等を要望。

1954年

国が精神病院開設国庫補助制度を設ける。

1958年

厚生省事務次官通知により、精神科の人員は一般診療科に対して、医師数は約3分の1、看護師数は約3分の2を基準とする特例基準が認められる（精神科特例）。それによって精神科病院は人件費を抑えた運営が可能となる。

1960年

医療金融公庫法が施行され、民間医療機関への長期低利融資が始まる。

これらはまさに日本精神病院協会のロビー活動の成果でした。精神科病院開設を促進する一連の政策が次々と実現された結果、1950年に約1万8千床だった精神病床は1969年には約25万床となりました。

業界団体がロビー活動し、自分たちの業界に有利となる政策に誘導するということ自体は過去も現在もよくある光景です。いわゆる賄賂などの違法行為がない限り、それ自体は非難にあたりません。

ここで私が非難するのは、**精神障害者を危険な存在として不安を煽り、不良な遺伝子を有する存在として差別と偏見を煽り、彼らを収容して世間から隔離する解決策として自分たちを売り込んだ**、当時の精神医療業界の手法です。科学的根拠なく、ひたすら国民と政府に過度な恐怖と不安を植え付けた結果が、世界に類を見ない世界最大の精神科病院大国なのです。その影響は現在にまで及び、日本の精神保健福祉改革の遅れの根本的原因であり続けています。

同協会初代理事長の植松七九郎は著書『精神医学』（1948年、文光堂書店）において、精神病者に対する優生的処置（結婚制限、避妊、隔離、断種）の中では、施設への隔離収容が「最も有効な方法」だとし、無能力者、反社会的人格者等を収容、保護、治療することで「優生学的の目的が達せられるのはいわば一石二鳥」と述べていました。翌年発足した同協会の設立趣意書は、精神科病院を「常に平和と文化との妨害者である精神障害者に対する文化的施設の一環」と表現しています。

同協会の意向を受けて精神衛生法案を国会に提出した中山壽彦参議院議員は、第7回国会衆議院厚生委員会第22号（1950年4月5日）において、「この法案は、いやしくも正常な社会生活を破壊する危険のある精神障害者全般をその対象としてつかむことといたしました」と提案理由を説明しています。

このようにして、精神障害者への差別的な価値観が形作られていくなか、1950年代と60年代にかけて民間の精神科病院が乱立しました。特に、都心部から少し外れた郊外（八王子・多摩地域など）に何百床も有する大病院がどんどん作られました。このあたりから、精神科病院は治安や社会防衛の手段のみならず金儲けの手段へと変貌しました。それは**業界の意を反映した政策誘導によって引き起こされた精神科病院乱立ブーム**であり、建築業界と他科の医師や病院を巻き込んだ大きなビジネスチャンスでした。精神科について知識も経験もない他科の医師も次々と参入し、突然大きな私立精神科病院の院長に就任するという現象があちこちで見られました。私立精神科病院の運営は実際に儲かる商売となり、経営者が各地の高額納税者リストに名を連ねるようになりました。

次々と新しく作られた精神病床の空きを埋めるように、都心のホームレスをどんどんとそのような精神科病院に収容させることも公然となされていきました。まるで人狩りのような非人道的な手法でしたが、戦後の混乱からの立て直しや治安維持、1964年の東京オリンピックに向けた環境整備、ライシャワー事件（1964年3月24日、米国駐日大使ライシャワー氏が精神分裂病〈現在の統合失調症〉患者であった19歳の日本人青年に右大腿部を刺され重傷を負った事件）を受けて高まった不安の解消という点から、隔離収容主義は政府や社会に受け入れられたという側面もありました。その結果、精神科病院は一種の必要悪としての地位を確立しました。面倒ごと、厄介ごとを引き受けてくれる存在である以上、多少の問題には目をつぶるという、いわば社会との共犯関係が成り立ってしまい、それが今日まで至っているのです。

コストを抑えた劣悪な病棟に患者を囲い込み、生活保護を受けさせることで確実に収入が公金から入るようにし、そのような患者を長期に入院させればさせるほど儲かるという仕組みが腐敗を加速させていきました。患者の人権を無視し、固定資産としかみなさないような扱いでひたすら収益を上げるその醜悪な様子を当時の日本医師会会長の武見太郎は1960年に「精神病院は牧畜業者だ」と非難しました。これは、当時精神科病院の不祥事が相次いだことに対する日本医師会トップとしてのコメントを新聞記者から求められた際に出てきた発言です。

そこには、精神障害者とは言えないような人も多数含まれていました。不良少年や身寄りのない戦災孤児、ホームレスなど、周囲が取り扱いに困るような人たちです。福祉が行き届いていないしわ寄せとして、何でもかんでも精神科病院に放り込むことで解決されていました。その一例が北海道・札幌市の小島喜久夫さんです。

日本では優生政策（不良な遺伝子を残さず、優秀な遺伝子を残していくという発想に基づいた政策）の一環として、障害者に対する強制不妊手術が合法的に行われていました。手術の実施は１９５０年代がピークでしたが、１９９６年まで法的には認められていました。知的障害者や視覚障害者など、様々な障害者がその犠牲になりましたが、その大半は精神障害者でした。ところが、精神障害を理由に強制不妊手術をされた犠牲者で、現在国を訴える裁判で声を上げているのは小島さんのみです。

確かに、小島さんは精神科病院に強制入院させられ、本人の意思に反して生殖機能を失わせる強制不妊手術（優生手術）を入院中に受けました。しかし、小島さんは精神疾患に罹患していたわけではなかったのです。親子喧嘩で警察が呼ばれ、そのまま精神科病院に連行され、診察もないまま病棟に閉じ込められたのでした。

小島さんから私も直接話を聞く機会がありましたが、彼が入院していた当時の状況はすさまじいの一言でした。入院患者が職員に反抗するような態度を示すと懲罰的に電気ショック（電気けいれん療法）をかけられ、態度の悪い患者は強制不妊手術とロボトミー手術（統合失調症やてんかんなどの治療を目的に、前頭葉の白質の一部に切開を加えて神経線維を切断する外科療法。人格変化・知能低下を起こしやすく、現在はほぼ行われていない）の対象とされていたため、入院患者は常にビクビクしていたようです。小島さんは、小学校高学年くらいの少年がロボトミー手術を受けさせられ、術後に頭に包帯を巻かれてぐったりとしていた様子を目撃し、恐怖を感じたそうです。少年はその後まもなく死亡したようでした。結局小島さんは強制不妊手術を無理やり受けさせられましたが、その他大勢の犠牲者と唯一違ったのは、彼が病院から脱走に成功したという点でした。

47都道府県の中で最も強制不妊手術の件数が多かった北海道では、「優生手術（強制）千件突破を顧みて」という表題の記念誌が1956年に発行されましたが、手術を受けた85％が精神分裂病であることが記載されていました。犠牲者の大半が精神障害者なのに、声を上げる人が圧倒的に少ないのはなぜでしょうか。

小島さんは、2023年7月17日に放送されたNHKのハートネットTV「特集・旧優生保護法を考える　第1回　私たちが奪われたもの」に出演した際、実名を公表した理由を尋ねるインタビューに対して、以下のように答えています。

「当時、精神科病院にいた人たちが1人でも、こうやって一緒に出てきてくれればいいと思って実名を出しました。今まで声を出せなかった人に勇気を与えてあげられるんじゃないかな。俺はそういう気持ちがある。だけど誰も出てこない。どうして出てこないのかなって本当に思うんだけど、これは人間一人ひとりの考えだから。恥ずかしいから出てこないんだとも思う。俺も恥ずかしかったもん。結婚した当時だって、絶対言えない。『俺、精神科に入って、子どもをできなくされた』って言ったら、誰が結婚してくれる？　そんなもの、奥さんのほうから逃げるよな。絶対に言える問題じゃない。経験してみないと分からないの。精神科病院の看護師さんも誰一人出てきて証言してくれなかったね。」

社会的に声を上げられないというのはその通りだと思います。しかし、私はそれ以前に大半の犠牲者がすでに死亡かそれに近い状態であるのだろうと推測します。小島さんも同番組で「病院に捕まったら、一生そのまんま。十何人知ってるけど、病院の中で亡くなった人ばかりだね。おかしくなる人が多かった。」と証言しています。脱走に成功したからこそ小島さんは命や社会性を奪われずに済んだと言えるでしょう。

## 患者の命よりも経営重視

過去には精神科病院で想像を絶する人権侵害が横行していたことをご理解いただけたと思います。さすがに今は精神科病院でそんな非人道的なことは行われていないだろうと思うかもしれません。しかし、そんな楽観的考えを完全に吹き飛ばしてしまう恐ろしい実態がＮＨＫによって暴かれました。

２０２３年２月25日に放映された調査報道ドキュメント「ルポ　死亡退院　～精神医療・闇の

実態〜」が取り上げたのは、前述した東京都八王子市にある滝山病院でした。病院内で虐待され、非人道的扱いを受け、悲痛の声を上げる患者の姿が映し出されました。なかには、虐待に怯えて退院を懇願しながらも叶わず、入院中に不審な死亡を遂げる患者の声と姿がありました。

この病院の院長である朝倉重延医師は、過剰な身体拘束や不必要なＩＶＨ（中心静脈栄養）が横行し年間何十名の入院患者が不審死を遂げているとして２００１年に大きな社会問題になった朝倉病院事件の院長だった人物です。朝倉病院は診療報酬の不正を理由に廃院となりました。朝倉院長は保険医の資格を取り消されましたが、不正はもちろん、不適切な拘束や不審死、虐待その他様々な非人道的行為に対して刑事責任を負ったわけではありませんでした。

朝倉病院事件が問題となっていた当時、朝倉病院よりも死亡患者が多い精神科病院が八王子に存在し、しかもそこの院長は朝倉重延医師の父親（朝倉忠孝医師）が経営しているとして巷で話題になりましたが、大きく実名で報道されることはありませんでした。その後、同病院初代院長であった忠孝医師の死去を受け、重延医師が２０２０年より理事長・院長に就任しました。ただし、経営状態が悪化したことで弟の朝倉孝二医師が２０２１年より理事長に就いています。さて、ＮＨＫの同番組が秀逸だったのは、重延院長の本音を録音し、その音声を番組内で公開した点にありました。

「また一人逝っちゃったな。申し訳ないけど、そういう人ばかりなんだよな。まあしょうがないんだよな（笑い声）」「やっても助かって伸びるヤツもいれば、そのまま逝っちまう、そういうレベルなんだよな。根本的に治すなんてとんでもない話だよ。いつか死ぬ（笑い声）」

精神医療ビジネスとして、治すことなど最初から考えてもいない人物が精神科病院を経営しているという構図は、精神科病院を乱立させた時代から変わっていないようです。滝山病院のみが例外というわけではありません。兵庫県・神戸市の神出病院もそうでした。

コロナ禍の真っ只中の２０２０年3月、神出病院でおぞましい虐待事件が発覚しました。看護職員が患者を全裸にして水をかけたり、柵付きのベッドを逆さにしてかぶせて患者を監禁したり、男性患者の陰部にジャムを塗ってそれをほかの男性患者になめさせたりしただけでなく、その様子を動画撮影して仲間内で共有して面白がっていました。

発覚のきっかけは役所の実地指導でも内部告発でもありませんでした。加害者の1人が病院とは関係のないわいせつ事件で逮捕され、スマートフォンから虐待動画が多数見つかったことが原因でした。動画をきっかけに職員6人が逮捕され、全員が有罪（3人が実刑で残りは執行猶予付き）となりました。しかし、それはあくまでも証拠があることで立件できた職員に限られただけであり、虐待自体は同病院において伝統的に受け継がれてきたことが後に判明しています。

神出病院における虐待事件等に関する第三者委員会による「神出病院における虐待事件等に関する調査報告書」が2022年4月に公表されていますが、運営法人グループの理事長への不当なまでに高額な役員報酬やその他の費用（保証料、交際費、寄付金、見舞金、理事長専用の高級車のリース料・購入費）を捻出するために、必要な整備改修を行わず、患者の利益を損なうような異常なまでの経費節減を行っていた実態が克明に記されていました。

神出病院を運営していたのは錦秀会グループの兵庫錦秀会であり、グループトップの籔本雅巳氏は兵庫錦秀会の理事長も務めていました。籔本氏は神出病院事件とは別の、日本大学医学部付属板橋病院の建て替え工事を巡る背任事件で逮捕・起訴され、理事長を辞任しました。また、籔本氏はこの事件で日本大学から損害賠償を求める訴訟を起こされています。

同報告書では「神出病院が在院患者数を維持し、経費を節減したことによって実現された利益の増加分の大半はB前理事長が一人で取得していたのであり、そのために、利益至上主義を押し進めたのである」として、同病院が「利益至上主義」であったことが指摘されています。患者よりも利益を優先する体制こそが劣悪な環境を作り出し、虐待が横行する温床となったのです。

結局は牧畜業と揶揄された時代と精神医療ビジネスの本質は変わっていないのです。全盛期のようには儲からないと言いながらも、**経営圧力をかけ、職員のモラルを下げ、患者の尊厳を**

**犠牲にすればトップは儲けることができてしまうのです。**嘆かわしいことに、このような人権を無視して儲け主義に走る精神科病院が社会的に問題となって60年以上経ちますが、行政はまったく監視指導できずに同じ問題が繰り返されているのです。実際、滝山病院も神出病院も、法律で義務付けられている行政の実地指導を毎年見事にクリアし、問題ないとされてきたのです。

## 拉致監禁ビジネスの実態

２０２３年9月21日、東京高裁にて、強制入院の違法性を争う裁判の控訴審判決がありました。高裁は入院を違法とした一審判決を支持し、成仁病院（東京都足立区）の運営法人に対し、原告男性への３０８万円の支払いを命じました。これは、同病院の設立初期の頃から目を光らせてきた私にとっても感慨深い判決でした。

同病院は２００７年、東京23区内では38年ぶりとなる民間精神科単科病院として誕生しました。初期の頃から、強引な強制入院や電気ショック（電気けいれん療法）が行われていたようで、被害の報告が複数寄せられていました。ある男性が病院を訴え、一審では棄却されたものの、２０１２年11月22日の控訴審で違法拘束が認められ、確定しました（80万円の支払い命令）。しかし、肝心だった強制入院の違法性は認められませんでした。違法拘束を勝ち取ったこと自体は画期的でしたが、これ以上ない証拠（そもそも男性に精神疾患がなかったことを証明する複数の客観的な証拠など）をそろえても強制入院では勝てないことに落胆しました。それで勝てないのなら他の事例では絶対に勝てないと確信できるほどの十分な証拠をそろえていたため、ショックの大きさはひとしおでした。

ただ、それで絶望することはありませんでした。裁判所が数々の証拠を無視して不自然に強制入院の問題に踏み込まなかったのにはある種の忖度があるのだと直感しました。1日500件の強制入院が行われている日本において、裁判所がうかつな判例を出そうものなら日本の精神医療全体に大きな影響が出るのは必至でした。裁判官は権力からも世論からも切り離されていることになっていますが、世論に弱いのが実情です。ですから、強制入院に対する社会の認識を変えることが重要だと私は認識し、活動を切り替えていきました。

その判決から10年の間に状況は変わりました。強制入院を決定することができる精神保健指定医の資格が不正に取得されていた実態が暴かれ、100人以上が行政処分されました。マスコミも強制入院、特に精神保健指定医と家族の誰か一人の同意さえあれば司法を介在しなくても強制的に入院させられる「医療保護入院」の問題に切り込み始めました。ついには、日本弁護士連合会は国際的な動向を踏まえて強制入院制度の撤廃を掲げるようになりました。

そのような背景もあり、成仁病院の強制入院の違法性がついに司法でも暴かれることとなりました。裁判の争点であった医療保護入院は、そもそも手続き上違法でした。精神保健指定医の資格を持たない精神科医（N医師）が医療保護入院を決定したことが認められました。病院側は指定医（K医師）が診察・判断したと言い張り、その根拠として電子カルテにもK医師の記載があることを示してきました。ところが、電子カルテはN医師のIDでログインされており、裁判所もN医師が診察したことを認めました。実際には非指定医が診察しているのに、その現場にいなかった指定医がカルテ上診察していることになっているという手口自体は珍しくありません。もちろん絶対にしてはいけないことですが、あの東京大学病院精神科ですら、この手口で不正に高額な診療報酬を請求していたことが発覚し（指定医の入院精神療法は非指定医よりも高く算定できる）、563人分の医療費の返還手続きをするというニュースが2012年1月20日に日本経済新聞などで報道されています。

その不正を見破ったこと自体快挙ですが、判決は手続き上の違反という形式的な部分のみならず、その中身にまで踏み込んで否定しました。カルテに「興奮」とされているのみで具体的な内容が記載されていないこと、入院に至る経過からすれば興奮があったとしても止むを得ないのであって精神障害があったことの根拠とならないこと、過去の出来事についても被告においてその存否などを確認、検証したことがうかがわれないなどとして、裁判官は「精神障害があったとは認められない」と判定を下したのです。

**これは非常に画期的です。なぜならば、今まで精神医療現場で当たり前のように使われてきた手口をバッサリと切り捨てたからです。**常識的に考えたらわかることですが、突然拉致監禁され、無理やり精神科病院に連れて来られて動揺しない人などいません。興奮して抵抗するのはむしろ「正常な反応」でしょう。ところが、強制入院を日々の流れ作業としてこなすような精神科病院には、むしろそれこそが精神疾患である証拠だとされてしまうのです。後述しますが、拉致監禁されて連れて来られている場合、もうすでに医療保護入院が内定しているようなものです。家族や業者も事前の根回しもなく、そのようなリスクのある行為をするはずがありません。精神科医は事前に家族から聞いていた話を全部鵜呑みにし、最初から精神疾患だと決め付けているため、本人の話にほとんど耳を傾けることなく妄想と片付け、興奮しているので強制入院にしましょうとなるのです。これまで精神医療現場で当たり前だとされたこのスタイルに一石を投じる重要な判決となりました。

ちなみに、成仁病院は電気ショック（電気けいれん療法）でも有名でした。入院患者のみならず通院患者にも施しています。同病院の運営法人である医療法人社団成仁のホームページには、2020年新卒入職 担当主任 ベーシック看護師Tさんが「当院では電気治療を年間約2500件実施しており、日本一の数を誇っています。」と答えるインタビューが掲載されています。

現在の電気けいれん療法は全身麻酔下で行われ、1回につき28000円（2017年度まで3000円）が診療報酬として病院に入ります。2021年度の厚生労働省のNDBオープンデータによると、外来で行われた件数が全国で8193件（東京都内で788件）、入院で行われた件数が全国で77690件（東京都内で12154件）となっています。

成仁病院だけで、都内の電気けいれん療法の約2割、全国の約3%が実施されているという計算になります。強制入院、身体拘束、隔離、投薬、電気ショックという手段で患者をおとなしくさせ、高い利益率を保ったまま短期間で退院させて回転率を高めるという、新たな時代の精神科病院のビジネスモデルを体現しているのがこの病院です。

また、本件はいわゆる「引き出し屋」と呼ばれる、ひきこもりからの自立支援をうたう業者と絡んでいたことでも注目されました。原告男性は、親から依頼を受けた業者（クリアアンサー株式会社：2019年破産）の職員によって自宅から無理やりひきずるような形で連れ出されて車に押し込められ、施設の地下室に監禁されました。男性が抗議のために食事を拒絶していたところ、監禁9日目に職員によって成仁病院に連れて行かれました。この件でクリアアンサー社は提訴され、2022年3月に男性側に110万円支払うよう東京地裁で判決が出ています（その後確定）。

クリアアンサー社は本件以外でも、悪質な連れ出しや監禁の被害を訴える声が多数上がり、複数の訴訟を抱えて破産しました。このような悪質な引き出し屋は、親から高額な報酬を受け取り、ひきこもり状態の人を本人の意思に反して無理やり連れ出し、施設に強制的に入所させるという「拉致監禁」まがいの手法でビジネスをしていました。

さて、これと似た形態の、自宅から連れ出すことに特化した拉致監禁ビジネスを展開する業者も存在します。人の身柄を自宅から精神科病院に移送するサービスを提供している民間移送業者のことです。非合法あるいはグレーの手段を用いるような悪徳業者もあり、しばしば問題になっています。例えば、国会での以下のような質問主意書と答弁書が存在します。

**第151回国会（常会）**

**質問主意書**

質問第一三号
民間移送会社による精神障害者の移送に関する質問主意書
右の質問主意書を国会法第七十四条によって提出する。

平成十三年三月一日

櫻井　充

参議院議長　井上　裕　殿

民間移送会社による精神障害者の移送に関する質問主意書

最近、民間移送会社によるいわゆるひきこもりの症状がみられる精神障害者の移送を専門とするサービスの問題が多く報道されている。これら報道によると、民間移送会社が保護者に対して法外な料金を請求したり、民間移送会社の判断で入院先を決定したりしているが、法律には触れていないという。このような現在の法整備では、患者の人権は十分に守られていないと思われる。そこで以下質問する。

一　精神障害者又はその疑いのある者の保護者が、本人の同意なしにその者を精神病院へ入院させる場合、保健所を経て都道府県知事に申請すれば、これは精神保健及び精神障害者福祉に関する法律に従って措置され、医師の診察及び確認が行われる。しかし、保護者が都道府県知事に申請せず、最初から民間移送会社に依頼した場合、医師の診察及び確認は必ずしも行われていない。政府はこのような異なる取扱いを認めるのか、見解を示されたい。

二　一のように、保護者が最初に相談した場所によってその後の対応が異なってしまうことは問題であると考えるが、これは法律上の不備ではないのか、政府の見解を示されたい。

三　民間移送会社が精神障害者又はその疑いのある者を医師の診察及び確認なしに移送する場合、患者の人権は保たれるのか。保たれるとすれば、それは何の法律によって担保されているのか。

四　民間移送会社は主として、書類審査により都道府県公安委員会に認定された警備会社の体裁をとっている。医療行政側が移送業者の実態を把握する手段を持たないのは問題と考えるが、政府の見解を示されたい。

五　今後、このような民間移送会社に対して、厚生労働省として何らかの指導・監督を行う予定はあるのか、見解を示されたい。

右質問する。

## 第151回国会（常会）

## 答弁書

答弁書第一三号
内閣参質一五一第一三号
平成十三年三月二十七日
内閣総理大臣　森　喜朗
参議院議長　井上　裕　殿

参議院議員櫻井充君提出民間移送会社による精神障害者の移送に関する質問に対し、別紙答弁書を送付する。

参議院議員櫻井充君提出民間移送会社による精神障害者の移送に関する質問に対する答弁書

一及び二について

精神保健及び精神障害者福祉に関する法律（昭和二十五年法律第百二十三号。以下「法」という。）においては、精神障害者本人の同意に基づく任意入院（法第二十二条の三）以外の入院形態として、措置入院（法第二十九条）、医療保護入院（法第三十三条）等が規定されている。

御指摘のひきこもりの症状が見られる精神障害者とは、どのような症状を指すかが必ずしも明らかではないが、一般には自身を傷つけ又は他人を害するおそれはない場合が多いと考えられ、仮にこのような場合に精神障害者の保護者から法第二十三条の申請があっても、都道府県知事（地方自治法（昭和二十二年法律第六十七号）第二百五十二条の十九第一項の指定都市の市長を含む。以下同じ。）は法第二十七条第一項に規定する精神保健指定医による診察の措置を講ずることはないと考えられる。

一方、精神障害者が任意で精神病院（精神病院以外の病院で精神病室が設けられているものを含む。以下同じ。）を受診することがあるが、その際に民間の移送サービスを利用するか否かにかかわらず、医療保護入院をさせるためには精神保健指定医による診察が必須とされており、その診察において医療及び保護のため入院の必要があると判断されれば、精神病院の管理者は保護者の同意を得て医療保護入院をさせることができる。また、医療保護入院の必要がない場合は、精神障害者本人の意思に基づき、任意入院又は通院により適切な医療が提供されることとなる。

以上のように、精神障害者の入院形態等に差異が生ずるのは、都道府県知事に対する申請等の有無によるためではなく、個々の精神障害者の症状に即した適切な医療及び保護を提供するためであり、また、精神障害者本人を同意なしに精神病院に入院させる場合には、受診に際して民間の移送サービスを利用するか否かにかかわらず、精神保健指定医の診察が必須とされていることから、御指摘のような法律上の不備はないと考えている。

三について

精神障害者が任意で精神病院を受診する際に、移動の便を得るために民間の移送サービスを利用することは否定されないが、その際に刑法（明治四十年法律第四十五号）第二百二十条に規定する逮捕又は監禁のような犯罪行為が行われてはならないのは当然のことである。

また、一及び二についてで述べたとおり、精神障害者を本人の同意なしに精神病院に入院させる場合には、精神保健指定医の診察が必須とされている。

四及び五について

御指摘のような移送サービスを行っている民間事業者が警備業者として都道府県公安委員会の認定を受けている場合には、その警備業務の実態は都道府県公安委員会が把握し得るところであり、この内容を必要に応じて各都道府県等の精神保健福祉部局が把握することは可能である。また、厚生労働省においては、平成九年度厚生科学研究費補助金により実施した「精神障害者の人権擁護に関する研究」において、全国の保健所を通じて民間事業者による精神障害者の搬送の状況等を調査するとともに、現在、都道府県、財団法人全国精神障害者家族会連合会等を通じて民間事業者による移送事例に関する調査を実施しているところである。

これらの調査結果等を踏まえ、精神障害者に対する適切な医療及び保護を確保する観点から必要があると判断される場合には、精神障害者及びその家族に対する情報提供等を図ってまいりたい。

この質問主意書の答弁にあるように、民間の移送サービス自体は否定されていないものの、「逮捕又は監禁のような犯罪行為が行われてはならないのは当然のことである」というのが政府の見解です。しかし、現実には逮捕監禁罪に相当する手段で無理やり連れ出す業者が後を絶ちません。

ただし、本人の同意がなかったとしても「合法的」に精神科病院に移送する手段があります。それは、1999年の精神保健福祉法改正によって新設された、同法34条に基づいた移送（医療保護入院等のための移送）の制度です。これは、都道府県知事の責任において、医療保護入院のために移送できる制度ですが、移送に至るまでにしっかりとステップを踏む必要があります。家族が行政機関に相談し、それを受けた都道府県・指定都市による調査を経て、指定された精神保健指定医（入院先の指定医は×）による診察と判定があり、家族の同意を得た上で、都道府県・指定都市による病院（応急入院指定病院）への移送が可能となります。その場合、移送時の行動制限も合法となります。

この移送制度が新設されるまで、この強制的な移送（搬送）サービスは無法地帯でした。悪質な事例が絶えず、ようやく法で定められたものの、問題解決には至っていません。なぜならば、このような「合法」の手続きを踏んで移送されるケースは極端に少ないからです。厚生労働省の2022年度衛生行政報告例によると、医療保護入院の届出数は181787件、「合法的」移送による医療保護入院は111件にすぎません。

完全に違法な引き出し屋も、違法ないしグレーな移送業者も、拉致監禁ビジネスとして存続している背景にはそれなりの理由があります。一つは需要があることです。もう一つは実質的に刑法違反でありながら警察が積極的に取り締まらないからです。

警察は家族内の問題や医療に絡む問題は、事件として取り扱いたがりません。また、移送は警備会社のサービスの一環としてされることも多く、警察OBが設立や業務に関わることも珍しくありません。慣れた業者は、警察へ事前に「根回し」をすることでトラブルを回避します。その一つの例を挙げます。

下野新聞によると、2022年2月8日、富山県在住の元福祉施設経営者の男性が、栃木県宇都宮市にある報徳会宇都宮病院の運営法人と担当医らに対し、約1470万円の損害賠償を求める訴訟を宇都宮地裁に起こしました。男性は2018年12月、富山県内の勤務先から民間救急業者によって約5時間かけて同病院に連行されました。男性は認知機能検査もされることなく老人性認知症妄想型と診断され、医療保護入院となりました。入院後の検査で認知症ではないと判定されましたが、37日間退院が認められず向精神薬の服用も強いられました。これはまさに医療保護入院制度と民間移送サービスが悪用された事例でした。

業者に移送を依頼したのも、医療保護入院を申し立てて同意者となったのも、その男性と金銭トラブルで対立していた親族でした。年末の早朝、施設利用者のための朝食の準備をしていた男性は、その親族と共にいきなり土足で踏み込んできた4人の民間警備員に脇と足を抱えられて連れ出され、無理やり車に押し込められました。その際、男性の妻が警察に電話して通報したのですが、警察の到着は不自然に遅く、既に男性が連れ去られた後であり、事件として取り扱うこともありませんでした。男性は拘束された状態で宇都宮病院まで車で連行されましたが、その車中で業者が携帯電話で通話している様子を耳にしました。その話の内容から、業者が事前に警察への根回しを済ませていたことがわかりました。

男性は何らの精神疾患の既往歴もなく、認知症と診断されたこともありませんでした。当然、精神保健福祉法第34条に則って事前に精神保健指定医から診察を受けたこともありませんでした。しかも、医療保護入院の同意者となった親族は男性と同居していたわけではなく、遠い東京都内に住んでいました。一方で同居していた妻は看護師であり、精神科で勤めた経験もあるため、男性が認知症ではないことを確信していました。しかし、一番身近で男性のことを見ていた妻の意見は、移送の際はもちろん、医療保護入院決定の際にも反映されることはありませんでした。それもそのはずです。そもそも男性がどこに連れ去られて行ったのか、残された妻には何もわからなかったからです。富山県近郊ならともかく、まさか遠く離れた宇都宮市内の病院に運ばれ、強制的に入院させられているなど想像すらしなかったことでしょう。

## たった一人の同意で医療保護入院が可能に

しかし、なぜこんなことが可能になるのでしょうか。２０１３年の精神保健福祉法改正に伴う、医療保護入院制度の改悪が元凶です。それ以前まで、医療保護入院は保護者制度になっていました。医療保護入院には家族の同意が必要であること自体は変わらないのですが、同意する家族は家庭裁判所を通して「保護者」として選任される必要がありました。家族の過重な負担となっていた保護者制度が撤廃されたことは良かったのですが、同意者の要件が緩くなるため、法改正の審議の際に悪用やトラブルを引き起こす危険性が指摘されていました。家族内で意見が分かれ、多数が入院に反対したとしても、たった一人さえ同意すれば医療保護入院が可能となったからです。

これで、医療保護入院は完全に司法が介在しない形態となりました。たった一人の精神保健指定医の判定と家族一人の合意さえあれば、司法を介在させずに人の身柄を拘束できるという、世界的に見ても特殊な制度になりました。ここで、**精神保健指定医の資格を持った精神科医の判定にどこまで信頼性があるのか**という問題に突き当たります。警察ですら一人の人間の身柄を拘束するために、それなりの根拠を示して逮捕令状を取得する必要がありますが、精神保健指定医は根拠を示す必要すらありません。単に強制的に入院が必要な状況と（主観的に）判断したとすれば良いのです。

医療保護入院制度はザルであり、「離婚を優位に進めたい」「親の財産を奪いたい」といった不純な動機でその制度を悪用しようとする人々が存在します。医療保護入院の大半は、前述した34条の移送制度が使われるのではなく、あらかじめ家族が病院と相談し、事前にほぼ内定した状態で当事者を何らかの形で連れて来ることで行われています。その際、病院は当事者を抜きに家族からの一方的な情報で判断することになります。精神科医は神でも探偵でもないため、医療保護入院を申し立ててきた家族が嘘をついているかどうかなどわかりません。

雑な精神科医は、事前に聞いていた家族からの話と、目の前に連れて来られた当事者の話に食い違いがあったとしても、当事者の話に耳を傾けることなく「妄想」と決めつけます。嫌がるなか無理やり連れて来られたのであれば、当事者は興奮やショック状態にあるのが普通であり、抵抗して暴れたり、家族に対する恨みを口にしたり、絶望して無気力になったりして、冷静に受け答えなどできないのが当たり前です。しかし、雑な精神科医はそんなことなど考慮もせず、そのような「正常な反応」を精神疾患の症状だとみなし、医療保護入院の必要性の根拠としてしまうのです。

もっと雑な場合、医療保護入院という結論が最初から決まっています。本来、まだ本人を診ていない段階で結論など出せませんが、家族からの情報だけで断定し、迎え入れる準備を整え、あとは結論ありきの形式だけの診察をするのです。

医療保護入院を悪用したい家族にとっては、何でもかんでも受け入れてくれる雑な精神科病院の方がありがたいのです。富山の事例では、なぜ入院先が不自然に遠方の宇都宮病院だったのかというのがポイントです。この病院は、１９８４年に事件が発覚したあの宇都宮病院です。凄惨な虐待と信じ難い不正が横行していた実態が連日のように報道され、日本中が震撼し、国際的な問題にまで発展し、その結果大幅な法改正を余儀なくされるという結果をもたらしました。もはや歴史上の存在となった宇都宮病院ですが、驚くことに廃院することなくずっと存続してきたのです。廃院されなかった理由は、それでも「需要」があったからです。何でもかんでも受け入れてくれる精神科病院は役所や警察、一部の人々にとって大変ありがたい存在なのです。

新規の医療保護入院患者は精神科病院にとって利益をもたらす存在でもあります。持ちつ持たれつという関係を周囲と築きながら、悪徳精神科病院は存続し、内部で行われている人権侵害はスルーされてきました。そして、そのような精神科病院が存在するからこそ、悪徳な民間移送業者もはびこるのです。民間移送業者としても、刑法に触れる手法で無理やり連れ出したのに、受け入れ予定先の病院で病気ではないと診断されて突き返されたらたまったものではありません。自分たちの業務の正当性が崩れてしまうからです。やはり事前に内定をもらえる精神科病院はありがたい存在です。このようにして、精神医療ビジネスの一形態として拉致監禁ビジネスが成り立っているのです。

## ヒポクラテスの誓いに反する精神科病院

滝山病院や神出病院、宇都宮病院のような精神科病院はごく一部の例外であって、大半の精神科病院は利益よりも患者の命や尊厳を優先しているはずだと多くの人々は信じたいでしょう。しかし、利益至上主義は極端だとしても、診療だけではなく経営に力を入れなければならない現実があります。もっとも、それは精神科病院に限らず、自由経済の下で医療機関の運営をほとんど民間任せにしている日本の医療全体に言えることですが。

日本は国民皆保険制度を採用しており、医療の大半は保険診療下で提供されています。保険医療機関が保険医療サービスを提供した場合に診療報酬を受け取ることになるのですが、その金額は厚生労働大臣が中央社会保険医療協議会（中医協）の議論を踏まえて決定しています。この診療報酬は2年毎に見直されるのですが、この改訂は保険診療に関わるすべての人々の命運を握っています。なぜならば、改訂内容に応じて運営形態や治療内容を変化させる必要性が生じ、対応できなければ淘汰される結果になるからです。

変化に対応するための社会的コストを考えると、これだけ頻繁に改訂するのは無駄に思えるかもしれません。しかし、会議室で決めた内容を現場に持ち込んだら想定もしなかった不都合が生じるものです。それは、医療サービスの質の低下をもたらしたり、健康被害を誘発したり、悪徳ビジネスの手段として使われたりするかもしれません。国民の命と健康、財産に直結する問題である以上、そのような悪い変化にも即対応できるようにする必要があるのです。

さて、このように診療報酬が複雑に変化するなかで、最大限診療報酬を獲得するにはどのようにすべきかという視点からの経営努力が必要になってきます。ここで、利益をもたらして医療機関を存続させたい経営者の視点と、患者に最大限の益をもたらしたい治療者の視点に食い違いが生じることがしばしば起こり得ます。まともな医療関係者は、常にその葛藤のなか、最善と思える治療判断と経営判断を下していかなければなりません。

悪徳な精神医療ビジネスが通常の病院経営と異なる最大の特徴は、**利益を優先するために躊躇なく患者を犠牲にできる**という点です。そこに葛藤はありません。患者側に多少の不便を強いるというレベルの話ではありません。**コスト削減や効率の良い報酬獲得手段として、患者の命や尊厳という、最も尊重されなければならない領域に躊躇なく踏み込むのです**。これは、現代の医療倫理の根幹とされるヒポクラテスの誓いの一節「自身の能力と判断に従って、患者に利すると思う治療法を選択し、害と知る治療法を決して選択しない」に反する行為です。

精神科では、患者の意に反する強制治療が一部で認められています。具体的には、強制入院、身体拘束、隔離です。これらは一種の身柄拘束であるため、精神保健福祉法に定められた厳密な手続きの下でのみ許されます。ところが、もしもこのような強制治療が、医学的な必要性に基づいてではなく診療報酬目的でなされたとしたらいかがでしょうか。カネのため不要な身柄拘束など、とんでもない人権侵害ではないでしょうか。

それを示唆するような統計や研究があります。入院患者数は平均入院日数が減少するなか**（図9）**、本来最小化すべき強制入院**（図10）**、身体拘束、隔離**（図11）**が軒並み急増しています。それと呼応するように、精神科救急入院料病棟も増加**（図12）**しています。身体拘束・隔離の急増を受けて増加要因を探索すべき目的で実施された研究（令和元年度厚生労働行政推進調査事業費補助金「精神病床における行動制限に関する検討」）は、「隔離・身体的拘束増加に影響する可能性がある属性因子の１つとして、急性期系病棟入院料を算定する病床の増加が挙げられた。」と指摘しています。

その背景には、厚生労働省による政策誘導がありました。精神科病院での虐待や長期入院が国内外から批判を浴びたため、精神病床の機能分化（急性期対応、慢性期対応など患者の状態に応じて病床の機能を分けること）や入院の短縮化を目指すようになりました。そこで、２００２年に高額な精神科救急入院料を新設するなど、診療報酬で経済的インセンティブを与えることで、厚労省は精神病床の救急・急性期化を推進してきました。

かつては患者を囲い込み、長期に入院させることで儲けてきた精神科病院も、生き残りをかけてビジネスモデルを変化させざるを得なくなりました。

実は、精神科救急入院料病棟を算定するためには、その病棟の年間の入院患者の６割以上が非自発入院（つまり強制入院）であることが要件となっています。そのため、高額な診療報酬を維持するために強制入院の割合を増やそうとする経営努力が発生してしまうのです。実際、院内カンファレンスで強制入院を増やすように指示され、本来任意入院で対応できるような患者を強制入院に切り替えたことがあったと私に告白してきた精神科医もいます。

その他にも、経営の都合で精神科病院への入退院の期間が決められていることを示唆する統

## 図 9　精神病床における退院患者の平均在院日数

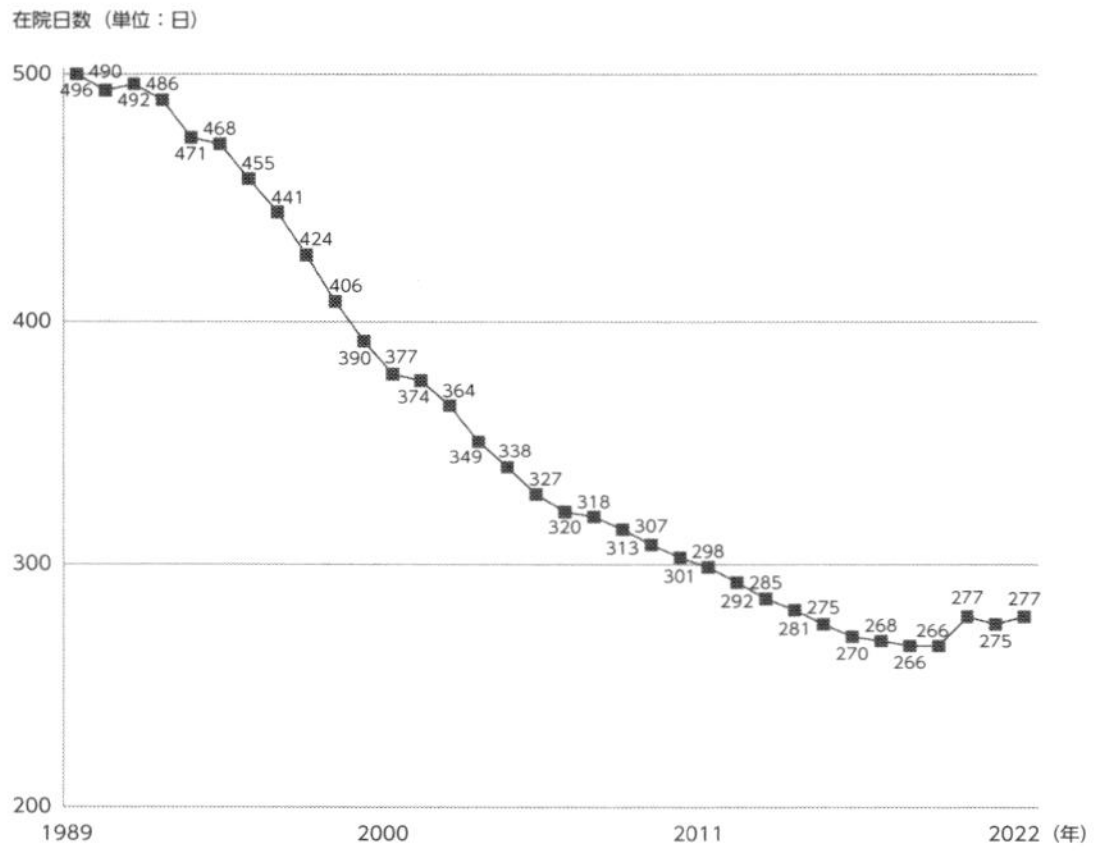


厚生労働省「病院報告」より作成

## 図 10　医療保護入院届出数

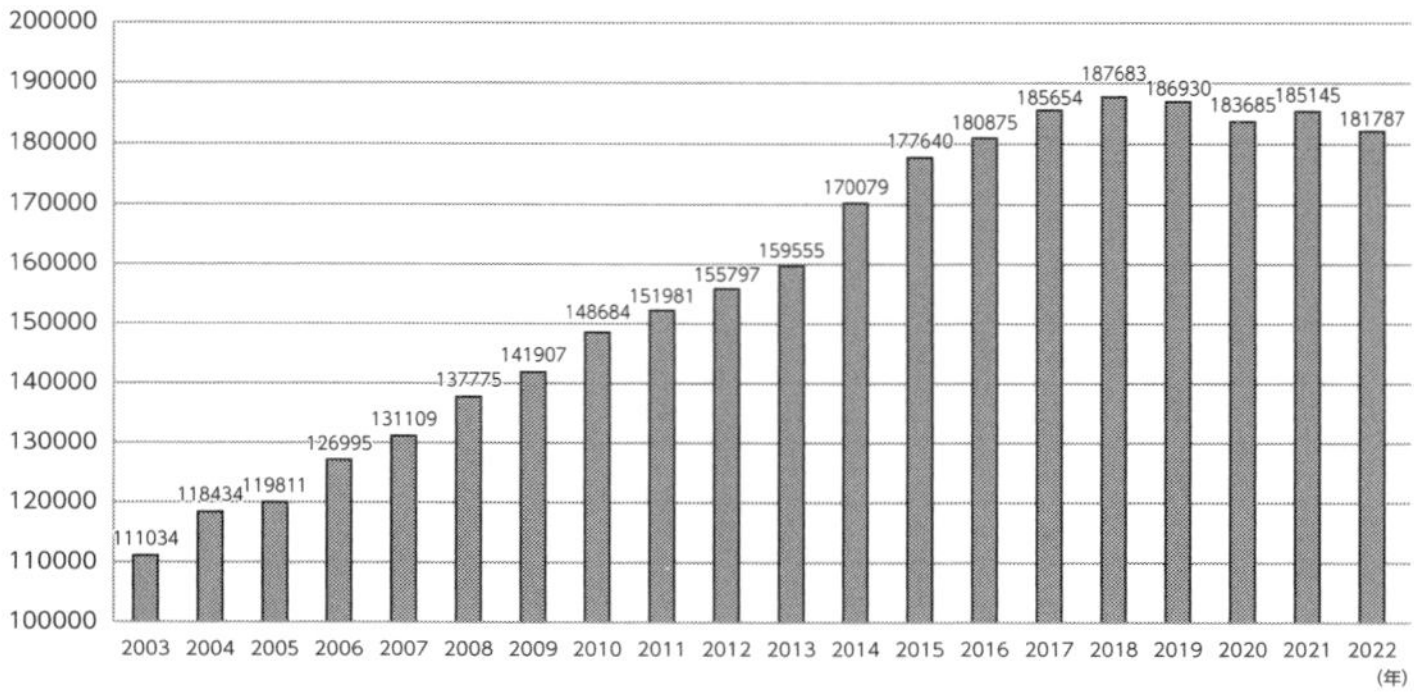


※2013 年度以前の医療保護入院においては、保護者として選任されていない扶養義務者の同意による 4 週間に限った入院制度があったが、この制度による入院数は計上していない。

厚生労働省「衛生行政報告例」より作成

図 11　精神科病院における行動制限の数

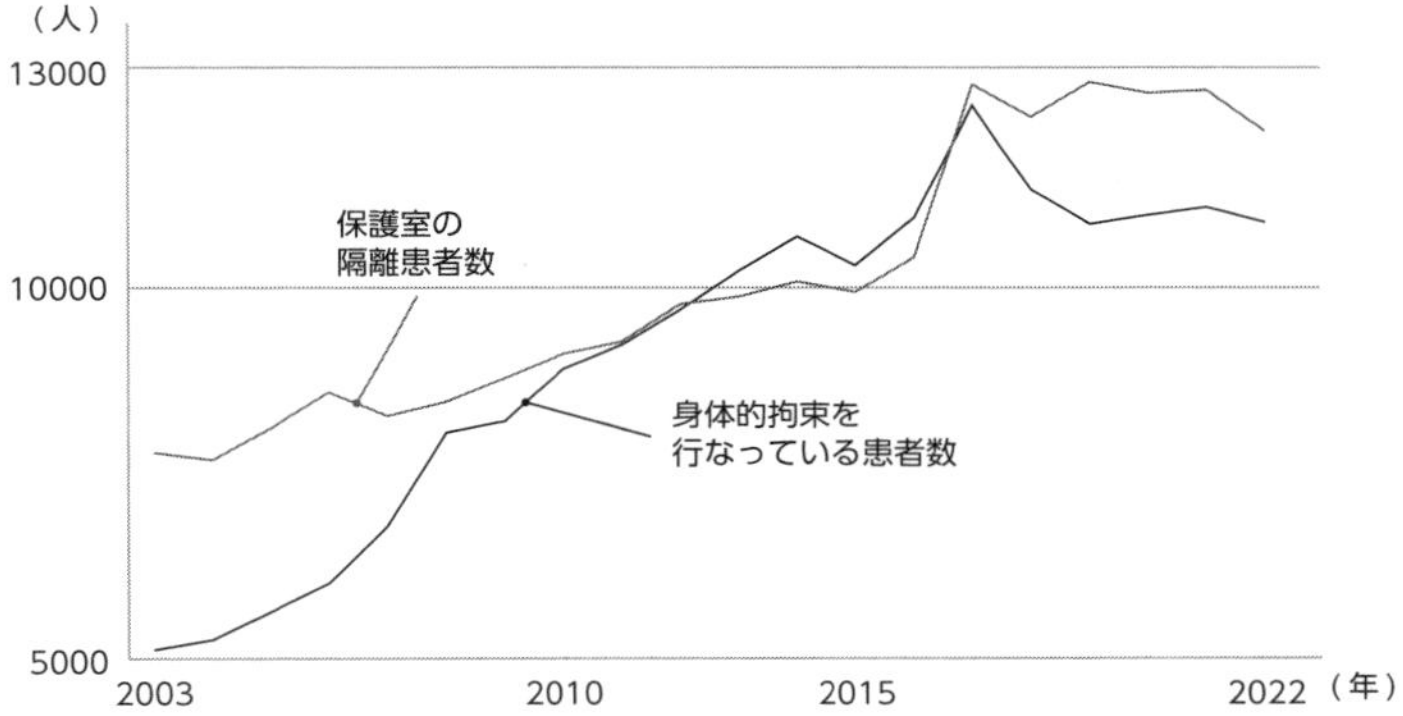


厚生労働省「精神保健福祉資料調査」より作成

図 12　精神科救急入院料病棟認可施設数の推移

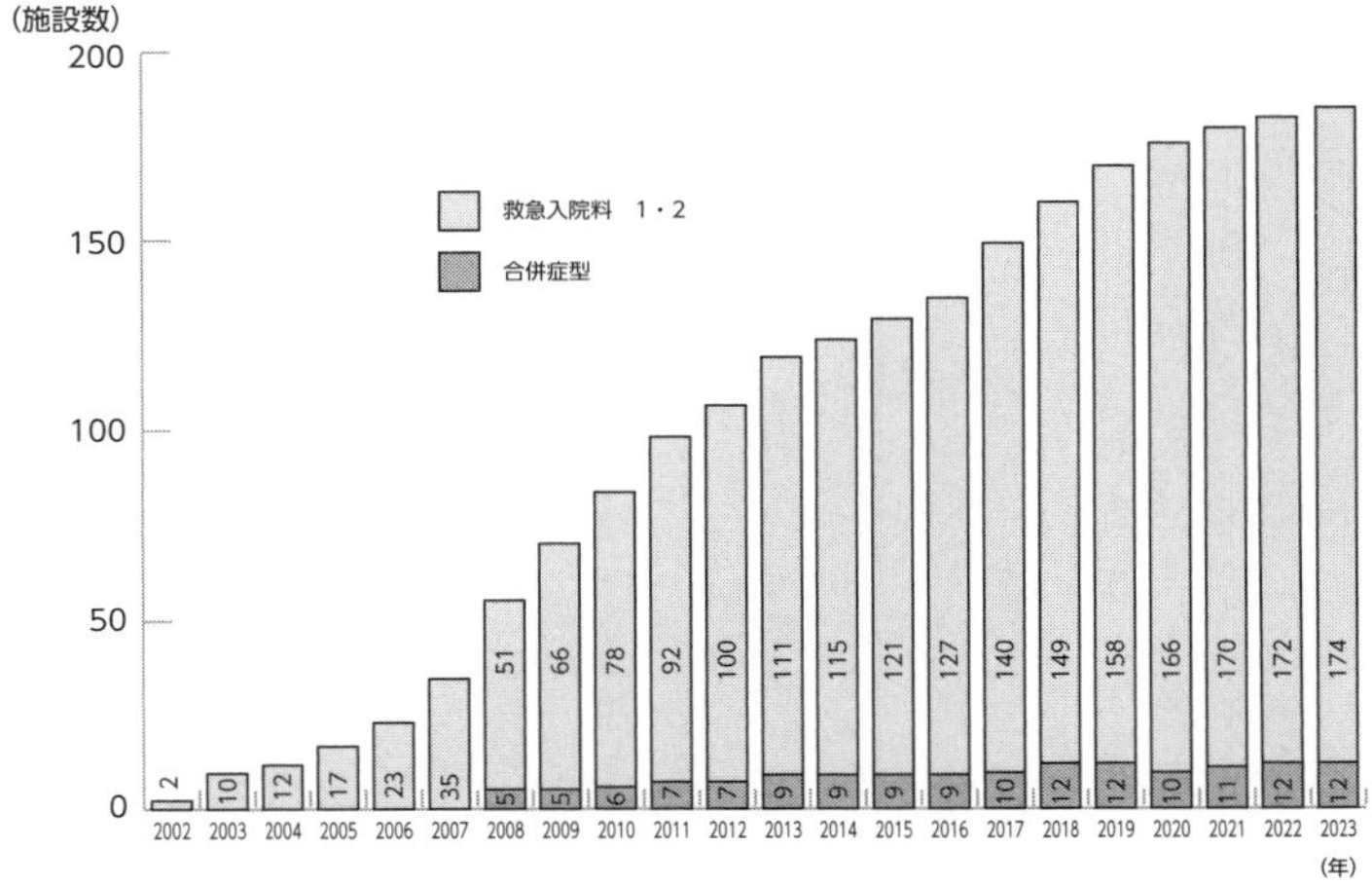


一般社団法人「精神科救急入院料病棟認可施設数の推移」より作成

計があります(*)。

退院率のグラフ(図13)には不自然な垂直上昇の形が見られます。入院後3か月を過ぎると、診療報酬が急激に下がるために90日付近で極端に退院率が増加するのです。不必要に退院を3か月まで引き伸ばされたり、逆に不安定な状態なのに3か月で無理矢理退院させられたりするトラブルや苦情の声は絶えません。

同様の問題を示唆している報告があります。2021年5月21日に財務相に提出された、財政審(財政制度等審議会)による「財政健全化に向けた建議」においても、「精神病床入院中の生活保護受給者数の都道府県間の地域差は約7倍であり、地域差を説明する要因として、精神疾患の受診者数や独居率などよりも、人口当たりの精神病床数が最も強く関係し、精神病床数が多いほど入院中の生活保護受給者が多い。」「1年以上5年未満の長期入院患者数の都道府県間の地域差は約8倍の差があった。」と指摘されています。空き病床があれば埋めないといけないという経営努力が働き、それに応じて患者が「作られている」のかもしれません。

このように、人権の問題が深く関わる精神科の入退院が、病院の経営上の都合に影響されている側面があります。経営者側からすると、運営破綻しては元も子もないので、患者側の多少の犠牲には目をつぶってもらうことが正しいように思えるかもしれません。国が医療の大半を民間任せにしている以上、そのような患者を犠牲に儲けるタイプの医療機関が一定数存在してしまうことは想定済みだったかもしれません。

**図 13　精神病床への入院患者の退院率について**

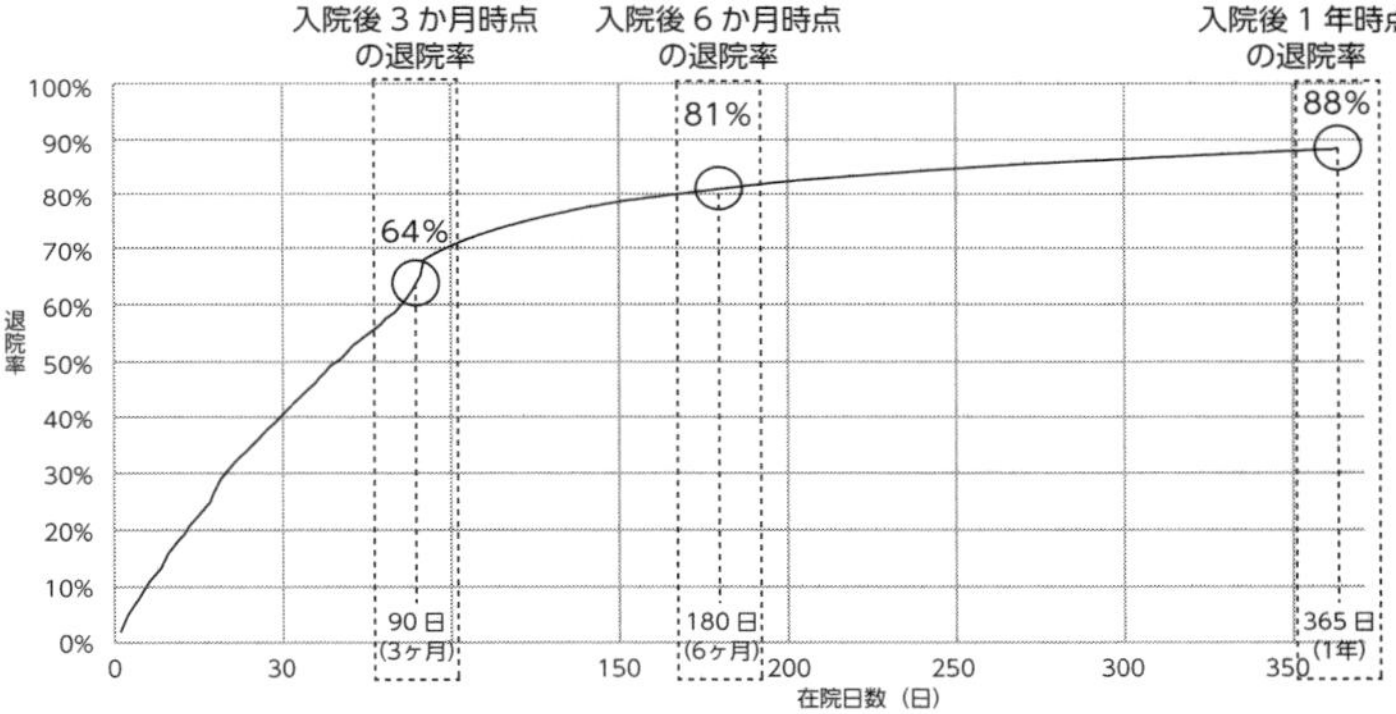


精神保健福祉資料をもとに厚生労働省の精神・障害保健課にて作成。2017 年 3 月時の調査

しかし、時代は変わっています。過去には黙認されていた人権侵害が、突如として強い非難の対象となり、それを容認していた社会を変えようとする動きが見られます。ある大手芸能事務所の創業者の性加害について、黙認されていた時代が長く続いていましたが、２０２３年に一気に状況が変化したのはその一つの例でしょう。日本の精神

＊　精神保健研究通巻64号 山之内芳雄「退院率と再入院率から地域の『リカバリー』を考える」57―61、２０１８年
https://www.ncnp.go.jp/mental-health/docs/nimh645761.pdf
厚生労働省「最近の精神保健医療福祉施策の動向について」平成30年12月18日
https://www.mhlw.go.jp/content/12200000/000462293.pdf
厚生労働省「精神保健医療福祉の現状」令和２年３月18日
https://www.mhlw.go.jp/content/12200000/000607971.pdf

医療の価値観は、強制不妊手術が認められていた時代から変わっていません。過去の差別的な価値観から脱却すべき時期に来ています。

## 5分診察が当たり前になった理由

どんなビジネスでも言えることですが、競合者がまだそんなにいない早期に参入する場合はメリットも大きいのですが、「ブーム」と呼ばれ、世間一般に注目される頃にはレッドオーシャン（競争相手が市場に非常に多くなり、競争が激化している状態）になります。メンクリ（＝メンタルクリニック＝精神科・心療内科クリニック）開業ブームと言われて久しい今、まさに精神科クリニックの経営者はレッドオーシャンの中に放り込まれています。

都内の駅前のような高いテナント料を支払っているクリニックは、当然存続をかけて収益を上げ続けなければなりません。その場合、もっとも効率の良い手法は5分で診察を終了させて回転率を上げることです。なぜ5分なのでしょうか。それにはちゃんと理由があります。

通院患者を診察する精神科クリニックにとってメインの収入源となるのは「通院精神療法」です。2年毎の診療報酬の改定によってその単価は変動してきましたが、1回で3000円以上確保できます。これを算定できる条件として、2008年度から5分以上の診療が要件として加わったのです。5分以上診療しないと算定できないものの、報酬が時間の長さに比例するわけではありません。例えば、2022年度には30分以上と30分未満で点数が異なりますが、その差は750円（精神保健指定医は800円）です。ちなみに、2008年度はわずか100円の差でした。経営者目線からすると、時間をかけても客単価がそれほど変わらないのであれば、回転率を上げることが正解になります。そこから計算される最適解は5分で診療を終わらせるというものです。

しかし、なぜ2008年に「5分」という縛りができるようになったのでしょうか。その背景には、患者をほとんど診ることなく薬だけ処方し、通院精神療法を荒稼ぎするというデタラメなクリニックの存在がありました。当時は、向精神薬の無診察処方も横行していました。医師が診察せず、何の資格もない受付の職員が院内処方で薬を患者に渡したり、電話を受けて患者に薬を発送したり、処方箋を発行したりしていました。医師法や麻薬及び向精神薬取締法に抵触する違法行為ですが、決してまれな話ではありませんでした。実際、患者側も違反行為であるという自覚もなく、長時間待つこともなく薬だけ出してくれるなんて良いクリニックだとありがたがってすらいました。

当たり前の話ですが、無診察であれば「通院精神療法」など算定できるはずもありません。ところが、悪質な精神科クリニックでは、あたかも患者を診察したかのようにカルテを捏造し、不正に診療報酬を請求していたのです。たった1人の精神科医が1日あたり300人以上の患者をさばくという信じ難い光景があり、物理的にもあり得ない件数の通院精神療法が請求されていました。仮に300人全員に通院精神療法を算定したとしたら、たった1日で100万円以上の売り上げがあることになります。とある悪質な精神科クリニックの従業員からは、薬の電話注文と発送だけで実際には来院すらしていない患者に対し、院長が適当な所見を捏造してカルテに書き込み、通院精神療法を算定するという詳細な手口を告発されたこともあります。

これではいくら財源があっても足りなくなるのは自明でした。このような背景で5分ルールが作られましたが、それはまた別の問題を作り出しました。**あくまでも最低限で設定されたはずの5分が、経営目標となってしまったのです**。実際に患者を治す、改善させるというのではなく、5分という短い時間にスマートに再診患者を捌くことが精神科医の手腕の基準となってしまったのです。

そもそもおかしな話ですが、患者を治してしまうと通院患者が減ることになり、診療報酬上はマイナスとなります。つまり、患者をいつまでも治さず漫然と通院させ、5分で回転させるのが経営の理論上最高の精神科医となります。診療報酬の体系が、良い成果に対して経済的インセンティブが働くようになっていないため、このような5分診察精神科クリニックを量産させているのです。

しかも、現実はもっとひどい状況です。現役精神科医が告白していたように、その5分という縛りすら形骸化しているのです。実際、「5分に満たない診察なのに、通院在宅精神療法が請求された」という患者からの声や、物理的にあり得ない算定（例えば1時間で20人も外来患者を捌きながら、カルテ上は全員5分以上診察したことになって例外なく通院在宅精神療法が算定されている）の証拠が私のところに寄せられています。あれだけ問題になったのに、いまだに無診察処方（医師法違反）＋通院在宅精神療法の架空請求（健康保険法違反、詐欺）というコンボを平気でやっている精神科クリニックも存在します。

5分ルールはデタラメ請求のある程度の抑制にはなったものの、むしろ質の低いマニュアル診療を拡大させ、まともな実践をしているクリニックを淘汰する結果になったのではないかと私は疑問に感じています。人の数だけ人生が存在し、どれ一つとして同じものはありません。患者の抱えている悩みや困難はそれぞれまったく異なります。患者が不安を口にしても、その不安の性質や引き起こされた状況はそれぞれ違います。個々の患者について、置かれた状況を理解し、患者の心情や反応を分析し、それまでの治療の効果を評価し、そこから導かれる最適の治療を施すという一連の作業を丁寧にすれば、とても5分では収まりません。時間をかけて患者に向き合い、丁寧に治療することで患者の治癒や改善という成果に結びつけても診療報酬には反映されず、むしろ経営を圧迫するのが現実です。

5分という短時間で捌くことを可能にしているのは、マニュアル的な対応です。例えば、患者が不眠や不安を口にしたら、その症状を引き起こしている背景を理解するための丁寧な問診をするのではなく、一律にその症状を抑える薬を処方するだけで終わらせるという対応です。

「眠れないのですか？　じゃあ睡眠薬を出しておきます」、「不安があるのですか？　じゃあ抗不安薬を出しておきます」、「気分が落ち込んでやる気が出ないのですか？　じゃあ抗うつ薬を出しておきます」という具合です。

ここで、精神科において診断や治療のマニュアル化、均てん化は正しいのかという疑問に突き当たります。均てん化というのは、全国どこでも標準的な専門医療を受けられるよう、医療技術等の格差の是正を図ることを指します。もしもそれがチェーン店の飲食店であれば、提供する食事やサービスの均てん化は正しい戦略であると言えるでしょう。全国どこに行っても同じ味や量の食事が提供されるということは味気ないかもしれませんが、それを求める一定数の人々がいるため強みになるのです。

保険診療である以上、均てん化を目指すのは正しいことでしょう。ガイドラインが作成され、推奨される標準的な治療法が示され、それに沿った治療が全国どこでも受けられるというのは理想の姿でしょう。しかし、その理屈は客観的な根拠に基づいて診断や治療が行われている身体科について成り立ったとしても、精神科について成り立つとは限りません。例えば、精神科診断は前述したとおり、操作的診断手法を取り入れることで診断の均てん化に成功しましたが、それがイコール科学的に正しいという訳ではなく、治療という成果に結びついているとは限らないのです。

後ほど第5章で解説しますが、現在のガイドラインで推奨されている治療自体、ほとんどが

「生物医学的モデル」に基づいています。生物医学的モデルによるメンタルヘルスのアプローチは、社会的決定要因をほとんど無視し、「診断」「投薬」「症状の軽減」に偏重しており、成果を上げていないことがWHOによって明らかにされています。高い水準ではなく低い水準で均てん化が起きてしまったら、格差は是正されてもまったく意味がありません。

生物医学的モデルに基づいたマニュアル診療のさらに成れの果てが5分診療と言っても過言ではありません。5分という縛りがどんな影響をもたらしたのか、もっと検証されるべきでしょう。

## 貧困者を通して公金を巻き上げる

貧困ビジネスの基本は、貧困者層から直接金銭を巻き上げることではありません。もちろんそのような貧困ビジネスモデルもありますが、一度巻き上げたら干からびておしまいであるため、継続性がありません。**大半の貧困ビジネスが狙うのは公金です**。貧困者はあくまでも公金を巻き上げるための触媒に過ぎません。

精神科病院が牧畜業とされた時代、生活保護受給者の入院患者はまさにそのような存在でした。治さず、退院させず、いつまでも病院に囲い込むだけで、安定して莫大な公金が病院に入ってきたのです。必要な設備投資や人件費をかけず、劣悪な環境で長期入院患者を囲い込んできた結果、経営者や現場職員の人権感覚は完全に麻痺し、凄惨な虐待事件が横行しました。虐待や不正が次々と発覚するなか、その元凶である経営至上主義や囲い込み貧困ビジネスモデルに批判が集まるようになりました。その結果、国は政策誘導によってその問題を解消せざるを得なくなりました。入院期間が一定期間（1ヶ月、3ヶ月、6ヶ月など）を超えると入院料を減額したり、早期退院に報酬を加算したりするなど診療報酬を見直しました。

確かに、診療報酬を見直すことで以前のような長期入院患者を囲い込むことに特段の旨味はなくなりました。しかし、病床を使わないままにしておくよりは埋めておいた方が良いのです。老人ホームなどの施設に入れない認知症患者が精神科病院に入院させられている問題について取り上げた週刊現代の記事（2023年10月14日号）には、多摩あおば病院の中島直院長のコメントが引用されています。

「もともと精神科病院には、統合失調症の患者が多く入院していました。しかし、近年は薬物療法などで統合失調症の患者でも入院しなくていいケースが増えてきています。仮に入院しても、短期入院の傾向がある。そうすると、精神科病院の病床は空いてしまいます。病院経営のために、認知症の患者を入院させて、病床を埋めようと考えるところがあるのは事実です。入院していれば診療報酬の点数、つまり収入になりますからね。

ただ、認知症の方が精神科病院に入院すると、症状が進行してしまうことも少なくありません。家族には、その点も説明していますが、それでも入院させることが多い。認知症の方を受け入れる余裕がない施設と、空きのある病院の利害が一致しているとも言えます」

「精神病床数が多いほど入院中の生活保護受給者が多い」とする財政審の指摘も、これに通ずるところがあります。現実問題として、私立精神科病院は生き残りをかけるために必死です。厚生労働省の政策誘導に乗っかり、長期療養型から早期退院型へと方針を変え、高い点数が算定できる急性期病棟へと切り替えていくのも、生き残るための一つの手段です。しかし、すでに作ってしまった大量の精神病床を抱えている以上、将来的に形態を切り替えて行くにせよ既定路線を継続するにせよ、とにかく既存の空き病床を埋める必要があります。となると、行き場のない認知症高齢者や生活保護受給者がその対象となるのは必然です。

これらもまた一種の囲い込みではあるのですが、もっと巧妙な形態の囲い込みがあります。それは、診療報酬上の良いとこ取りをキープした状態で入院と通院両方にまたがって囲い込む手法です。具体的には、診療報酬上の旨味が無くなる3ヶ月ギリギリまで入院させ、退院時は同一医療機関（あるいは同一運営法人の別医療機関）で提供されている精神科デイケアに入り浸りにさせます。そして病院側にとって都合の良いタイミング（例えば新規入院とみなされて診療報酬が高く算定できる3ヶ月後以降）で再入院させ、再び3ヶ月後に退院させる…という繰り返しを延々と行うのです。

さて、ここで精神科デイケアの話が出てきました。精神科デイケアとは、病気の再発防止、社会参加、社会復帰、就労等を目指す通所型のリハビリテーションのことを指します。精神科病院が通院患者のためにデイケア施設を設けて提供することもあれば、精神科クリニックが診療スペースとは別にデイケア施設を併設して提供することもあります。

確かに、デイケア施設内では様々なグループ活動も行われ、利用時間によっては食事も提供されるため、単身独居患者らにとっては生活支援となるありがたいサービスかもしれません。しかし、これは精神医療ビジネスの温床となってしまっています。

かつて精神科クリニック開業は儲かるビジネスでした。開業にあたってレントゲンなどの様々な医療機器が必要となる他科と違い、極端に言えば机と椅子さえあれば開業できてしまう（*）ほど、初期投資が少ないために参入のハードルも低く、うつ病キャンペーンのおかげでさほど宣伝に力を入れなくても患者は入れ食い状態でした。5分縛りもなく無診察処方が黙認されていた時代はいくらでもあくどい手法で儲けることができました。

しかし、精神科クリニックが街に飽和し始め、せっかく開業したもののつぶれそうだと悲鳴を上げる精神科開業医の声がネットの掲示板に書き込まれるようになりました。そのようななか、先見の明のある開業医は精神科デイケアを利用したビジネスモデルをすでに確立していました。

開業医個人がいくら頑張っても診察時間には限界があります。５分縛りのルールのせいで捌ける患者の数にも上限があります。しかし、精神科デイケア施設を併設している場合、他の従業員に任せて着実に診療報酬を稼ぐことが可能となります。

ここで私は精神科デイケア自体を批判しているわけではありません。本来の目的である社会復帰や自立とは結びつかない、悪質な囲い込み型の精神科デイケアを批判しています。プログラムの一環としてビデオ鑑賞やカラオケ、ボードゲーム、テレビゲーム、麻雀などをさせて適当に遊ばせているだけで、何の方針も目的もないようなところもあります。そのようなところに通う患者の多くは生活保護受給者であり、治療費として公金が使われているのです。

精神科の通院患者には自立支援医療費（精神通院）という公費負担制度があり、所得によっては自己負担額がゼロあるいは定額となるため、それを利用した精神医療ビジネスの標的となっています。生活保護受給者の場合、自立支援医療費が適用される治療に対しては、生活保護の医療扶助ではなく、自立支援医療費から治療費が負担されます。精神科デイケアは、時間によって「精神科ショート・ケア」「精神科デイ・ケア」「精神科ナイト・ケア」「精神科デイ・ナイト・ケア」に分けられますが、一番長時間の精神科デイ・ナイト・ケアには１０００点が

＊　本来精神科では診断にあたってその症状が他の身体的原因ではないことを確認する除外診断のステップが不可欠であるため、最低限の医療機器をそろえておくべきである。

算定されます。つまり、1万円がその医療機関に入ってくるのです。

私はマスコミと共に、質が低い精神科デイケアに違法に患者を囲い込んでいた都内の精神科クリニックの実態を2015年に暴きました。生活保護受給者である患者が、劣悪な住環境のシェアハウスに囲い込まれた上に不適切な金銭管理までされ、精神科デイケアのための通院を余儀なくされていた実態が報道され、世間に衝撃を与えました。さらには、行政機関がその精神科クリニックと密接な関係にあったことが発覚し、大きな問題となりました。

東京都の大田区、江戸川区、港区は、随意契約で業務委託し、クリニック職員を相談員として福祉事務所に配置していました。その相談員が、自分たちのクリニックに不適切に受診誘導していたのです。しかも、受診することが生活保護を受給できるようになる要件であるかのような説明もしていました。随意契約をしていない区や市からも、福祉事務所などを通して同クリニックに患者が受診誘導されていました。他では受け入れてもらえないような患者も受け入れてくれる医療機関は行政にとってありがたい存在であり、都内を中心に大規模な精神科デイケアを展開する同クリニックはまさにその受け入れ先だったのです。

前述した滝山病院も、同じく行政にとってありがたい存在でした。透析が必要な患者も受け入れてくれる精神科病院だったからです。近隣の自治体から患者がつなげられていました。しかし、行政が重宝する受け入れ先で、貧困ビジネスや人権侵害が横行していたのであれば深刻な話です。

精神科デイケアを利用した貧困ビジネスについては、それ以前より現場から疑問の声が上がっていましたが、ようやく報道によって広く世に知られることになりました。そのような流れもあり、２０１６年度診療報酬改定の際には、「長期かつ頻回の精神科デイ・ケア等の適正化」が取り上げられ、算定に制限が設けられるようになりました。

しかし、それでもなお精神科デイケアは貧困ビジネスの鍵となる儲け手段となっています。報道された同クリニックや運営する医療法人には結局大したお咎めもなく、それ以降も系列クリニックを増やして大規模な精神科デイケアビジネスを展開しています。

同クリニックを運営する医療法人の２０１０年度の事業報告書を見ると、２つの精神科クリニック（無床）を運営し、事業収入は約14億8千万円でしたが、２０２１年度の事業報告書では、都内に6つ、神奈川県内に1つの合計7つの精神科クリニック（無床）を運営し、事業収入は約30億5千万円となっていました。

他にも精神科デイケアで有名な都内の精神科クリニックの運営法人の事業報告書（２０２１年度）を閲覧すると、Ａクリニック（常勤医1名）の運営法人の事業収入は約5億4千万円、Ｔクリニック（常勤医2名）の運営法人は約5億4千万円、Ｋクリニック（常勤医4名）とＳクリニック（常勤医3名）を運営する医療法人は約7億8千万円などと、病床を持たないクリニックの収入としては非常に高額であることがわかります。ちなみに、個人クリニックの年間売上は平均８５０１万円というデータがあります。

## 訪問診療・訪問看護という新ビジネス

精神科デイケア以外にも新たな儲かるビジネスモデルが出てきました。訪問診療や訪問看護という形態を取った精神医療ビジネスです。精神科デイケアは専用の施設を作る必要があり、その利用者数にも制限があります。一方で訪問という形態の場合、特に訪問看護はチーム編成していけばどんどんと事業拡大できる可能性を秘めています。

訪問診療や訪問看護自体は精神科に限らず一般的に行われているものであり、その恩恵を受けている患者も多数に上ります。訪問するという形態自体が悪いわけではありません。しかし、急激に需要が増え、政府の政策誘導（診療報酬が手厚くなっている、補助金や助成金が出るなど）があり、新規事業者の参入が殺到している領域は要注意です。なぜなら、ビジネスチャンスだとして、本来の目的には反した利益至上主義の業者の参入が相次ぎ、質の低いサービスが展開されてしまうからです。

精神科訪問看護ステーションをビジネスとして運営していこうとする広告も目立ちます。厚生労働省「訪問看護療養費実態調査」によると、２０１７年から２０２１年の5年で、精神科訪問看護を算定している事業所数は２５６９ヶ所から４９１５ヶ所と、およそ2倍になっています。

精神科の場合、診療報酬の改定によって入院期間が短期になったのは前述したとおりです。

退院といっても治癒して退院できる割合はごくわずかです。２０２０年患者調査によると、精神病床に入院していた患者が同年9月の1ヶ月間に退院した人数は31・9千人であり、その内訳は治癒０・7、軽快22・9、不変２・５、悪化０・８、死亡２・３、その他２・８です（単位はいずれも千人）。結局は多くの患者が退院で治療が終了するのではなく、通院や自宅・施設療養で治療が継続されるのです。

結局退院後に通院や自宅療養が必要だったりします。そこをターゲットにするのが精神科デイケアや訪問診療、訪問看護です。

治癒にも改善にも至らず、何十年と精神科への入退院を繰り返している人がいます。もしかしたら、第5章で言及するような適切なメンタルヘルスケアがあれば、そのような人も快復し、精神科治療と縁が切れていたかもしれません。仮定の話ではなく確実に言えるのは、質の低い精神科治療によっていつまでも囲い込まれている患者が存在するということです。

精神医療ビジネスという観点から見た場合、今まで精神科病院に囲い込まれていた患者が、病院の外には出られたものの、精神科デイケアや訪問診療、訪問看護という別の手段によって囲い込まれるようになったと言うことができます。

私のところにも、やはり質の低い精神科訪問診療や訪問看護の実態について情報が寄せられています。例えば、物理的にあり得ない訪問時間がカルテや訪問看護記録に記載されていることがあります。個別に記録を見てもわからないのですが、それぞれの記録と訪問先住所を照らし合わせたらとんでもないことがわかります。例えば、30㎞離れた場所に5分で移動していたことになります。とにかく、新幹線より速い移動能力やワープ能力がないと説明できないような時間の記録が見つかるのです。実際には訪問していない架空の診療（看護）を捏造したり、高い請求をするために時間をごまかしたり（30分未満なのに30分以上とする）しているため、辻褄が合わなくなっているのです。

ただ、このような不正は十分な証拠がないと摘発に至りません。精神科訪問看護の不正が発覚し、報道された事例はまだほとんどありません。私が知る限りはこの1件が最初です。２０１１年2月、大阪府東大阪市の医療法人「聖和錦秀会」の訪問看護ステーションが訪問看護療養費を不正請求していたことが発覚し、ニュースとなりました（２０１１年2月24日読売新聞朝刊など）。実際には訪問看護した形跡がないにもかかわらず、記録上は訪問看護したことになっていたり、実際の訪問看護の時間が15分足らずでありながら、記録上は30～40分だったことが判明しました。

ちなみに、この「聖和錦秀会」とは、神出病院の運営法人であった兵庫錦秀会と同じ錦秀会グループです。指定取り消しの行政処分は免れ、不正に取得した訪問看護療養費83,576,810円を返還することで手打ちとなりました。

最近の事例では、沖縄県中城村の訪問看護ステーション「キララ」の不正請求の疑いが、２０２３年11月28日付の沖縄タイムスで報道されました。自宅で実施すべき訪問看護をグループの事業所内でまとめて済ませていたり、30分以上が要件の訪問看護がわずか5分で終わっていたりした実態が暴かれました。

不正請求は論外ですが、必要以上に頻回に訪問することで脱法的に金を稼ぐ、精神科専門の訪問看護ステーションも存在します。これも、自立支援医療費による公費負担制度によって自己負担額が無料もしくは一定額になることを悪用しているのです。精神科デイケアに必要以上に通わせて荒稼ぎするのと同じ構図です。

## 発達障害バブルに乗じた公金横領ビジネス

新型コロナウイルス騒動で、感染症対策に莫大なお金が動きました。補助金や助成金、給付金という名目で様々な公金が使われました。それによって助かった市民が大勢いる一方、これらの制度をずる賢く使う連中も出てきました。

協力金バブルで新車を買ったと自慢する飲食店経営者、罪悪感も無く虚偽の申請で給付金や支援金を不正に受け取る人々、無料ＰＣＲ検査を巡る補助金不正で次々と行政処分を受ける業者たちなど、巨額なお金が絡むと、これだけあさましい人々が出てくるのだと善良な市民は驚いたことでしょう。

純粋なビジネスと違い、医療や福祉の分野で事業をする場合、公金が動きます。そのため、同じようなあさましい光景が見られるのです。特に、最近は規制緩和によって営利企業の参入が相次いでいるため、利益至上主義の質の低い一部業者によって医療や福祉そのものが歪められています。

最近目に余るのは、質の低い放課後等デイサービスの乱立です。放課後等デイサービスは、いわば障害児の学童保育であり、２０１２年に制度がスタートしました。ビジネス目的で参入する事業者も多く、ネットで検索すると「放課後等デイサービスは確実に儲かります」「放課後等デイサービス運営で利益率30％以上」「2年目から年商７０００万円」「国策の事業だから不景気でも長期で安定するこれからの市場です」と言った文言が並びます。

なぜ、今放課後等デイサービスがビジネスとして狙い目なのでしょうか。それはまさに「発達障害バブル」だからです。子どもの数は減っています。ところが、チェックリストの乱用による魔女狩りならぬ発達障害狩りが起き、それに乗じて安易に発達障害診断を乱発する一部の児童精神科医（及び小児科医、小児神経科医）のせいで、発達障害と診断される子どもの数は急増しています。それに伴い、特に児童発達支援、放課後等デイサービスなどの障害児サービスを利用する児童数や（図14）、それに伴う費用も（図15）大幅に増加しています。

以下が放課後等デイサービスの事業として求められるものです。

児童福祉法に基づく指定通所支援の事業等の人員、設備及び運営に関する基準（平成二

図14　障害児サービス利用者児童数

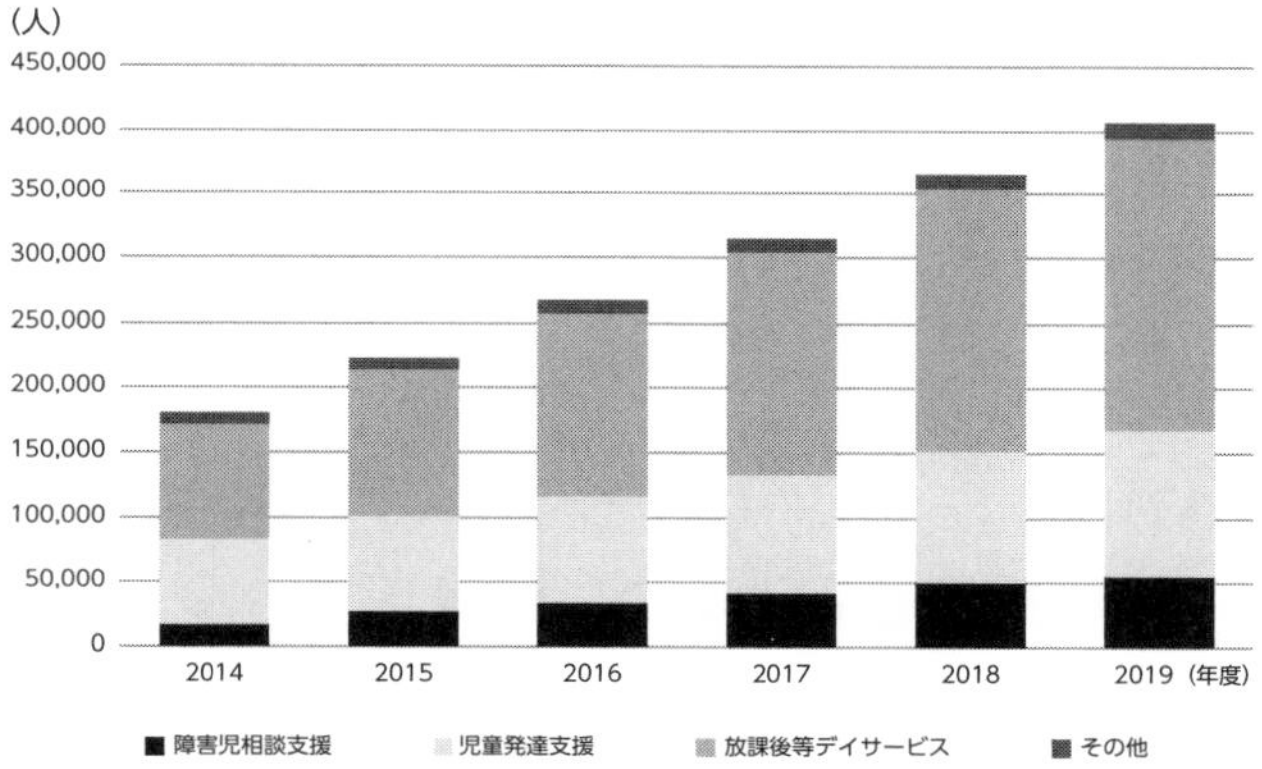


※厚生労働省「第１回　障害児通所支援の在り方に関する検討会（オンライン開催）」資料より作成

図15　障害児サービス費用額

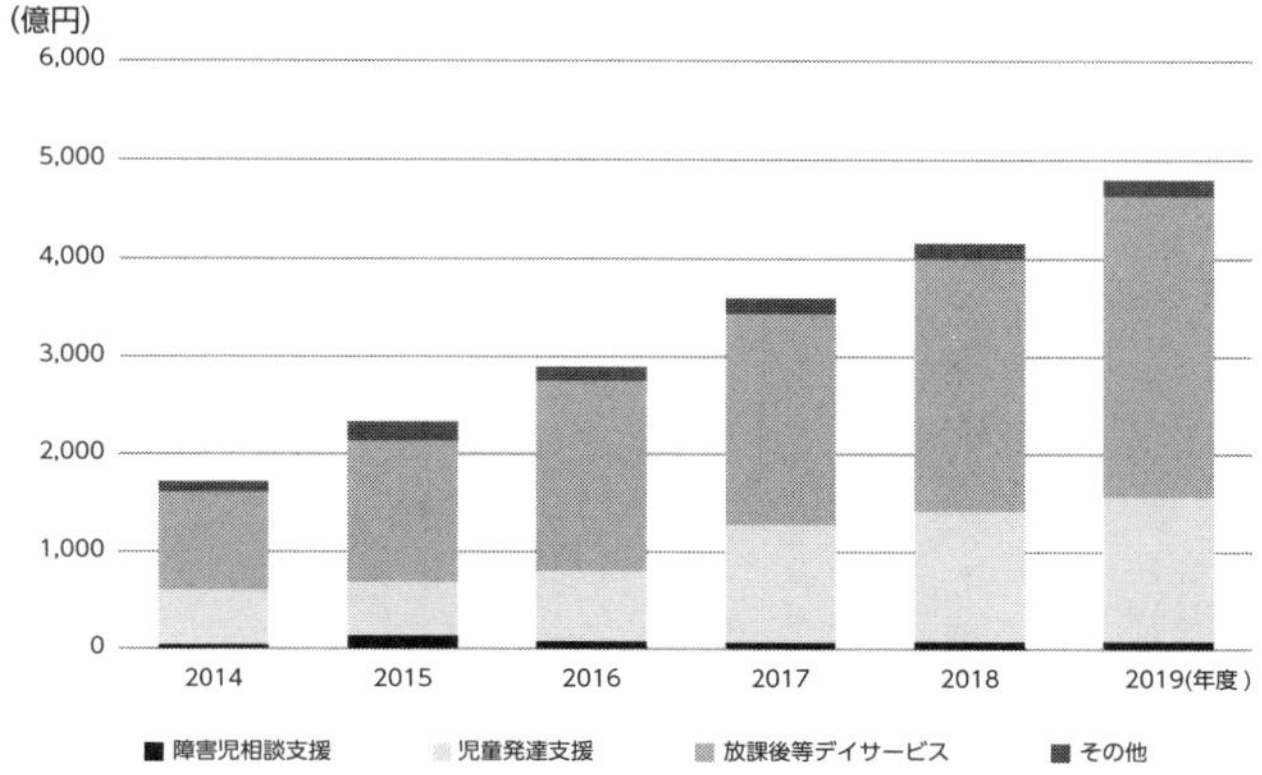


※厚生労働省「第１回　障害児通所支援の在り方に関する検討会（オンライン開催）」資料より作成

十四年二月三日　厚生労働省令第十五号）

第六十五条　放課後等デイサービスに係る指定通所支援（以下「指定放課後等デイサービス」という。）の事業は、障害児が生活能力の向上のために必要な訓練を行い、及び社会との交流を図ることができるよう、当該障害児の身体及び精神の状況並びにその置かれている環境に応じて適切かつ効果的な指導及び訓練を行うものでなければならない。

つまり、単なる学童保育ではなく、障害児のための専門的なサービスを提供する事業であるはずです。ところが、儲け主義の質の低い事業者が適当な運営をし、本来の目的と合致していない事例が相次いだことで問題となりました。以下、第3回厚生労働省障害児通所支援の在り方に関する検討会（２０２１年7月15日）資料より引用です。

○放課後等デイサービスの指定基準や報酬は、これまで、以下のような見直しを行ってきた。

・利潤を追求し支援の質が低い事業所や適切ではない支援（例えば、テレビを見せているだけ、ゲーム等を渡して遊ばせているだけ）を行う事業所が増えているとの指摘も踏まえ、従業者を児童指導員等にするなど指定基準を見直した。（２０１７年４月）

・「支援内容については、現在指標がないこともあり、評価に差が設けられていない。」との現状等を踏まえ、障害児の状態及びサービス提供時間に応じて基本報酬を分類した。（2018年度報酬改定）(*)。
・極端に短時間（30分以下）の支援を報酬の対象外とし、また、支援内容や提供時間に関わらず、基準人以上の手厚い体制により支援を行う事業所を評価する児童指導員等加配加算を見直した（令和3年度報酬改定）(**)。

さて、ここでおかしな現象について説明します。普通は発達障害児が増えたから、それに対応する放課後等デイサービスが増えたと考えるでしょう。しかし、放課後等デイサービスが増えたから発達障害児が増えたという逆転の現象も起きているのです。

放課後等デイサービスは市区町村発行の「通所受給者証」があれば9割が自治体負担となり、1割が自己負担となる制度です。所得によって負担額の上限があり、生活保護世帯や低所得世帯（住民税非課税世帯）はゼロ円です。住んでいる自治体の行政の福祉の窓口に申請し、必要書類（医師の診断書やサービス等利用計画案など）を作成して提出し、審査を経て通所受給者証

＊　障害児の状態に応じた基本報酬の分類は令和3年度報酬改定で廃止している。
＊＊　児童指導員等加配加算を算定している事業所の収支差率が、算定していない事業所の収支差率と比べて高い傾向にあるという実態が示されたことから、単価の見直し及び2人目の加配分の加算の廃止を行った。

を取得できます。必ずしも障害の診断や障害者手帳の所持が必要というわけではありません。

このような公費負担制度はやはりビジネスのターゲットになってしまいます。彼らが目をつけたのは、すでに発達障害の診断がついている発達障害児だけではありません。通常の学童保育に入れないで困っている、あるいは学童保育の金銭的負担に悩んでいる健常児の親たちです。「発達障害の診断があれば、格安の自己負担で学童保育と変わらないか、あるいはもっと質の良いサービスを受けられますよ」と親たちに囁くのです。悪質な事業所は、どこの医療機関にかかれば簡単に都合の良い診断を下してくれるか熟知しており、今まで発達障害の疑いすらなかった児童でもどのようにして診断書を取得できるのか親に指南します。

このような疾病利得（病気になることで得られる利益）や公金システムを悪用した発達障害ビジネスがはびこり、ますます発達障害バブルを促進しているという現状があります。「結果として事業所も親も子どもも皆助かるwin-winでいいじゃないか」と正当化する声もありますが、その事業所の懐に入るお金の原資は税金です。税金が本来の目的に逸れて使われるだけではなく、厳密には福祉サービス対象者ではない利用者が増えることで、本来支援が必要な人々が利用できなくなるという問題が発生します。

発達障害バブルは衰える気配もありません。それもそのはずです。私が危惧していたとおり、２０２３年4月から発足したこども家庭庁は、「発達障害者支援」「子どもの自殺対策」「妊産婦のメンタルヘルスケア」という名目で、ことごとく子どもや親を早期に精神科につなげる政策を展開しているからです。不適切な診断や治療につながるリスクが一切考慮されておらず、まるで「精神医療ビジネス促進庁」であるかのような動きを見せています。

例えば、読売新聞は「１００人中８人もいる発達障害児、専門医が出張相談…欠かせない早期支援を拡充へ」という見出しで、「発達障害の子どもの増加に対応するため、こども家庭庁は、専門医の出張相談に乗り出す」とする記事を２０２３年11月４日に出しています。前述した文部科学省の調査の数字が有病率であるかのように不正確な形で使われていることがわかります。結局、私が20年以上指摘し続けている、根拠のない数字の独り歩きが延々と繰り返されているのです。発達障害の子どもの増加に対応するために早期発見を進めれば進めるほど増加するという茶番劇を見抜き、批判する人など誰もいないようです。

ここまでで、精神医療ビジネスの基本が公金横領システムであることが理解できたかと思います。それを可能としているのは精神科診断のあいまいさです。他の疾患では、詐病も不正な診断も困難ですが、精神疾患や発達障害はそれがいとも簡単にできてしまいます。そもそも診断基準があいまいであり、絶対的に正しい診断など存在しないため、いったん下された診断について、それを誤診だと証明することも困難です。

## 自殺対策までもビジネスに利用

うつ病キャンペーンが成功した要素はマーケティング戦略だけではありませんでした。**うつ病の早期発見・早期治療こそが自殺予防の解決策になると政府に信じ込ませ、採用させたことが最大の要素でした。**

精神医療業界にとって、それは政府という最も信頼と権威とお金がある最高のスポンサーをバックにつけたことを意味します。製薬企業ももちろん重要で力のあるスポンサーですが、所詮は営利企業であるため、スポンサーとして支援するメリットが無くなり、市場の旨味も低下するようになればいつでも離れてしまう関係にあります。

一つの契機になったのは自殺過労死を巡る電通事件です。1991年、電通入社2年目の24歳の青年が自ら命を絶ちました。働かせ方に問題があったと確信した両親が電通を訴えた裁判は、企業の責任を全面的に認めて高裁に差し戻すという最高裁の判決（2000年）を経て、最終的には青年の両親に対して電通側が1億6850万円を支払い謝罪することで、和解が成立しました。

この裁判で、原告側の弁護団が「過労で精神障害に罹患して自死に至った」というこれまでになかった新たな立論をしました。同裁判と並行する形で1999年9月には「心理的負荷による精神障害等に係る業務上外の判断指針」が発表され、労災認定基準が改定されました。これらによって過労によってうつ病が誘発され、その結果自殺するといういわゆる「過労うつ自殺」という概念が広がるようになりました(*)。

確かに、過重労働やパワハラは看過できない問題ですし、企業側の常軌を逸した働かせ方によって追い詰められて自ら命を絶つような事例に対し、企業側の責任が認められるようになったことは歓迎すべきことです。しかし、**同時にこれは精神医療ビジネスに付け入る隙を与えてしまいました。**

今や、過重労働等のストレスによってうつ病が誘発されるという話は常識のようになっていますが、それはあくまでも一つの説であって証明されてはいません。また、自殺が結果でうつ病が原因という因果関係も一見するともっともらしいのですが、うつ病が自殺を引き起こすのではなく、うつ病のような症状を引き起こすほど追い詰められた状況が自殺を誘発するとも考えられます。そもそも、本来うつ病は感情レベルの障害です。何事にも気力がなくなり、近しい人が亡くなっても悲しむこともできないような状態です。明確な原因があって追い詰められているのであれば、その状態に対してうつ病よりも急性ストレス性障害や適応障害という診断名の方がまだ妥当と思われます。しかし、自殺という結果は何でもかんでもうつ病に結び付けられるようになり、労災を勝ち取るためにはまずうつ病という診断や判定が必要とするセオ

＊　元森絵里子「過労うつ自殺を生む社会は変わるのか――2つの電通過労自殺事件を『自殺の歴史社会学』から考える」SYNODOS、2016年11月28日　https://synodos.jp/opinion/society/18632/

リーができてしまいました。

これは、うつ病キャンペーンを展開していた精神科医たちにとって非常に都合の良い展開でした。自殺対策という名目で政府にも企業にも自分たちを売り込むことができるようになったからです。

政府に対しては、自殺＝うつ病、自殺予防＝うつ病治療という「イメージ」を刷り込むことで、売り込みに成功しました。２００１年12月に厚生労働省が発表した「職場における自殺の予防と対応」（労働者の自殺予防マニュアル）は、ストレートに「精神科医を受診しよう」というメッセージを前面に打ち出す内容でした。

２００２年12月に発表された、自殺防止対策有識者懇談会による「自殺予防に向けての提言」は、その大半がうつ病対策に偏重した内容でした。

企業に対しては脅すような態度も見せました。象徴的だったのは、２００８年12月4日付日本経済新聞朝刊に掲載された、2面をまるまる使った全面広告です。先だって開催された「仕事とメンタルヘルス２００８シンポジウム」（主催：日本経済新聞社、後援・内閣府、厚生労働省、日本医師会、日本うつ病学会、日本心身医学会、日本産業衛生学会、協賛・アステラス製薬、ソルベイ製薬、損害保険ジャパン）の内容をまとめた広告特集でした。

見出しは「正しい知識と適切な体制を構築」「うつ病の理解促進」であり、国際医療福祉大学医療福祉学部教授の上島国利医師の基調講演を筆頭に、製薬企業と密接な関係にあった著名な精神科医ら（東京女子医科大医学部精神医学教室主任教授の石郷岡純医師、慶應義塾大学保健管理センター教授の大野裕医師）がうつ病の早期発見・早期治療、特に薬物治療の重要性をしきりに伝える内容でした。

この中で、上島国利医師はこのように発言しています。

「今なぜ企業にうつ病対策が求められるのかというと、うつ病患者の増加、うつ病による生産性の低下、法律で定められた安全性配慮義務などへのリスクマネジメントが必要だからだ。うつ病で入院した患者さんのうち一五％は自殺するといわれている。従業員に自殺者が出ると企業イメージの低下はもちろん、訴訟を起こされ多額の賠償金を請求されるケースもある。」

これは、うつ病対策をしないと大変な目に遭うぞという脅しのメッセージです。うつ病入院患者の15％も自殺するという情報を聞くと恐ろしく感じますが、冷静に考えるとそれはむしろ治療者側にも問題があるのではと感じます。未治療のうつ病患者ならともかく、入院という手厚い治療環境にある患者が自殺しているからです。この中には、うつ病そのものではなく、治療の失敗が原因で自殺した患者もいるのではないでしょうか。

実際、このような精神科の専門家の意見に従って企業内でうつ病対策を実施し、早期にうつ病治療につなげた従業員が早期に復帰するわけではなく、むしろ治療を経るごとにどんどんと悪化してしまう事例もあります。その場合、「治療の失敗」というリスクを一方的に企業側が負うことになります。企業を脅し、自分たちをメンタルヘルス対策の専門家として売り込むような精神科医らは、そのような早期発見・早期治療の弊害や、その不利益や責任が企業側に押し付けられるリスクなどについて説明することはありません。

このようにして、精神科医は政府と企業を巻き込み、自殺対策を一つのビジネスとして完成させました。政府と企業にとって、精神科医と連携を取っていることが自殺対策やメンタルヘルス対策に取り組んでいるという「ポーズ」になりました。特に日本のお役所にありがちなのですが、結果を出すことよりも、何かに取り組んでいることをアピールすることの方がしばしば重要視されます。批判をかわすことができるからです。

そして、役所のそのような体質を利用し、精神医療業界はさらに手を広げました。対象者が自ら精神科を受診するというルートだけではなく、周囲の人が積極的に対象者へ働きかけて受診を促すというルートを開拓しました。その結果、内科医などのかかりつけ医や、医師以外の保健医療従事者らに対して、うつ病を早期発見して早期に精神科につなげるマニュアルが作成され、研修が行われるようになりました。そして、早期発見のための簡易チェックリストがツールとして使われるようになりました。

厚生労働省は「地域におけるうつ対策検討会」を立ち上げ、2004年にうつ対策関係者向けにマニュアルを作成しました。都道府県・市町村職員を対象とした「うつ対策推進方策マニュアル」と、保健医療従事者を対象とした「うつ対応マニュアル」がホームページで確認できます。そこでは、以下のようなチェックリストをセルフチェックやスクリーニング（ふるい分け）として活用するように記載されています。

## うつ病自己チェック

●チェック項目

1. 毎日の生活に充実感がない
2. これまで楽しんでやれていたことが、楽しめなくなった
3. 以前は楽にできていたことが、今ではおっくうに感じられる
4. 自分が役に立つ人間だと思えない
5. わけもなく疲れたような感じがする

●判定方法

チェック項目に挙げた状態のうち2項目以上が2週間以上、ほとんど毎日続いていて、そのためにつらい気持になったり毎日の生活に支障が出たりしている場合にはうつ病の可能性がありますので、医療機関、保健所、精神保健福祉センターなどに相談してください。このほかに、眠れなくなったり食欲がなくなったりすることもよくあるので、そうした状態が続く場合にはうつ病の可能性も考えてみてください。

※平成11―12年度厚生科学研究費補助金障害保健福祉総合研究事業「うつ状態のスクリーニングとその転機としての自殺の予防システム構築に関する研究」 総合研究報告書」（主任研究

者、大野裕）をもとに作成

このような取り組みは自殺対策に限らず、あらゆるメンタルヘルス対策の基本形になりました。その特徴は以下の通りです。

・専門家である精神科に早期につなげることを基本の柱とする
・チェックリストを普及させ、セルフチェックで受診行動を促す
・チェックリストを用いて他人を評価する役割を特定の人々に持たせ、そこから受診を促す
・その仕組み作りや人材育成に予算を取る。あるいは診療報酬等の経済的インセンティブを与える。

この基本形は現在も変わりません。多くのメンタルヘルス対策がずっとこの形を取っており、単に合法であるどころかお上が主導の**官製精神医療ビジネス**とすら言えます。今や、他科の医師のみならず、医師以外の医療従事者や、ゲートキーパーと称する一般人までもが人々を精神科につなげる役割を持つようになっています。

もしもこのような取り組みが成果を上げ、そして結果に対して十分に検証がなされているのであれば、私も文句など言いません。しかし、早期発見を掲げて掘り起こせば掘り起こすほど

患者は不自然に増え、早期に受診につなげた人々が自殺しているという現実があります。自殺を減らすという目的と手段が入れ替わり、ひたすら精神科受診を促進することに取りつかれている自殺対策すらあります。その典型が「富士モデル」や「久留米モデル」です。

特定の地域を「モデル地域」として取り組みを先行させ、その成果を評価し、全国に広げるというのが日本の行政でよく見られる手法です。静岡県富士市や福岡県久留米市では、自殺対策としてかかりつけ医にうつ病の早期発見の役割を持たせ、患者を精神科につなぐという取り組みを先行して進めてきました。「効果がある」として全国にそのパターンが広げられましたが、富士モデルは導入した富士市と静岡県でむしろ自殺者が増加し、久留米モデルは精神科につなげられた患者の追跡調査の結果から死亡・自殺という不都合な情報が隠されていました(*)。驚くことに、いずれも「効果がある」というのは、精神科につながった人の数が増加したことだったのです。

その伝統はさらに繰り返されています。次は「長野モデル」なるものがこども家庭庁によって全国に広げられようとしています。長野県は、都道府県の自殺対策モデルとなるよう2016年に日本財団と協定を結び、全国に先駆けて自殺対策に力を入れてきました。専門家を招いて2018~2022年度の自殺対策推進計画を策定し、「子どもの自殺ゼロ」を目標に取り組みを進めて来ました。2023年5月28日、長野県の自殺対策を視察に来たこども政策担当相は、精神科の医師や精神保健福祉士ら多職種の専門家でつくる「危機対応チーム」について、全国規模での展開を促す考えを示しました。同年6月2日に同庁は「こどもの自殺対策緊急強化プラン」を発表し、端末を利用して子どものリスクを早期に発見し、専門家のチームにつなげるという取り組みを全国的に広げる計画を明らかにしました。よほど「長野モデル」に効果があったのかと思いきや、２０１７年から２０２１年までの20歳未満の長野県の自殺死亡率は、福島県に次ぐワースト2位でした。

本当に自殺を減らしたいのであれば、成果を上げられなかった理由について厳しく検証すべきです。専門家に従って展開した取り組みが結果を出していないのであれば、その専門家を疑うことも必要です。なぜ早期に精神科につなげた人が自殺したのか、個別に検証し、治療が適切だったかどうかも評価すべきでしょう。しかし、日本の行政は政策の失敗や過ちを認めることができません。特に大々的にモデル事業として打ち出したものは、後から不都合に気付いてもそう簡単に後戻りできません。

自殺対策を名目に、今や国や自治体が率先して市民を精神科につなげています。しかし、本

＊　２０１３年12月～14年11月の１年間に精神科につなげた患者１１１６人について、受診半年後の追跡調査を久留米市保健所がしたところ、死亡者は12人（身体的問題で7人死亡、自殺で４人死亡、不明１人）だった。単純に2倍して自殺者が年間８人と計算すると人口10万人あたりの自殺率は７１６・８人と非常に高い数値を示した。しかし、公開されている活動成果報告書（第20回「チヨダ地域保健推進賞」受賞）では、かかりつけ医から精神科医への紹介件数が開始当初より３倍になった成果が強調される一方、追跡調査で判明した悪化や死亡について記載はなかった。

当に市民のメンタルヘルス向上や自殺防止に結び付いているのでしょうか。精神医療ビジネスに公金を吸い取られた挙句に、むしろメンタルヘルスの悪化をもたらしているのではないでしょうか。

# 第3章　薬に依存する精神医療業界

## 精神科医は患者を「治す」つもりがない

日本の精神医療は投薬治療中心です。前述したうつ病キャンペーンにより、抗うつ薬がうつ病を「治す」というイメージが作られました。10年ほどで化けの皮が剝がれましたが、それでも薬がうつ病等の精神疾患を「治す」と信じている人々がいます。

しかし、精神科領域において、症状を一時的に抑える薬は存在しても、根本から治す薬は存在しません。「治す」というのはすなわち治癒のことであり、もはやそれ以上治療を施さなくても症状は完全に消失し、回復している状態を指します。一方で精神医療業界は「寛解」という言葉を用い、それを治療の目標としています。寛解とは、症状が抑えられて出ていない状態を指します。症状を抑えるための服薬を継続していても寛解ということになります。つまり、治癒とは似ているようでほど遠い状態です。

米国での大規模試験（詳しくは後述）の結果、第一選択と言われる抗うつ薬単剤治療で十分に時間をかけて（12〜14週間）治療したとしても、寛解に至るのは約30％でした。同試験の不備を指摘するグループが再解析したところ、実際は約25％だったとも言われています。治癒ならともかく、寛解ですらこんなに低い割合なのです。

結果を出せないのであれば、外見だけでも良く見せようとするのがこの業界の特徴です。本来は抗うつ薬、抗精神病薬、抗不安薬、抗ＡＤＨＤ薬と呼ぶべき薬を、それぞれうつ病治療薬、統合失調症治療薬、安定剤、ＡＤＨＤ治療薬と呼んだりします。抗○○薬だと、○○という症状に抗って抑えているという正しい対症療法のイメージですが、○○治療薬だと、あたかも治癒をもたらしてくれる薬であるかのように思えます。安定剤は身体にも心にも優しいイメージになります。

また、薬効によって「抗不安薬」「抗うつ薬」「抗精神病薬」などと分類されていますが、薬理作用は多面的であり、個体差があります。例えば、抗不安薬には不安を抑える薬理作用のみがあるのではなく、様々な薬理作用があるなかで、比較的眠気が出現せず、精神活動を低下させることで不安を感じにくくさせる傾向があるものを便宜的にそのように分類しているだけなのです。

そもそもの話ですが、人間の精神活動は複雑であり、出てきた症状を単に抑えるような単純化したアプローチで解決できるわけではありません。例えば、抗不安薬が一律に不安を解消するものではなく、個々の人間の不安は置かれた社会的、生物学的、日常的状況によって異なります。ところが、マニュアル的な診療に慣れてしまった精神科医は、患者が訴える不安の背景を探ろうともせず、まるで発熱に対する解熱剤のような認識で抗不安薬を処方するのです。表面的な分類や呼称でしか薬を理解していない精神科医は、薬理作用の多面性や薬に対する反応の個体差を考慮することすらありません。

このような精神科医は、患者を「治す」つもりなどありません。そもそも「治る」ことなどあり得ないとすら思っているからです。**彼らにとっての治療のゴールとは、服薬も通院も必要なくなる状態ではありません。症状が出なくなるまで薬で抑え込むことであり、そのために一生服薬も通院も継続させるのが当たり前だと思っています。**

ただし、彼らがそうなってしまうのも理由があります。そのように教育されているからです。服薬は必須だと教え込まれている統合失調症も、本来は予後がそれほど悪い訳でもなく、薬がない時代にもある程度自然回復していたことを示す研究がありますがそれは無視されています。その他にも、投薬群と非投薬群を比較した場合に長期的にはむしろ非投薬群の方が良い予後を示す研究が複数ありますが、そのような不都合な事実は教えられないようです。

とにかく薬を使って症状を抑え込むことが最善であると教育され、投薬治療以外の治療法についてほとんど学んで来なかった精神科医ができることは、ひたすら薬を調整することくらいです。その結果、足し算はできても引き算ができない精神科医が誕生してしまいました。基本的に薬には耐性があるため、同じ量では効き目が弱ってきます。そのため、ひたすら薬の量や種類を増やすだけで、減薬する意図もなければその方法も知らないという、非常に無責任で危険な治療が精神医療現場に横行してしまいました。

その結果悲劇が起きました。うつ病キャンペーンや官製の精神科受診誘導キャンペーンによって敷居が低くなった精神科クリニックの門を叩いたものの、運悪くこのような精神科医に出会ってしまった結果、患者は後戻りできない状況に追い詰められてしまいました。多剤大量処方という地獄です。

以前から、統合失調症に対する多剤大量処方は問題になっていました。症状を抑えるために、患者は尋常ではない量と種類の抗精神病薬をひたすら服用させられていました。しかし、それは主に入院患者に対する話でした。精神科クリニックが乱立すると、多剤大量処方という悪しき伝統は通院患者にも広がりました。しかも、統合失調症ではなく、単に軽度なうつ症状や不眠を訴える患者に対し、とんでもない種類と量の抗うつ薬、抗不安薬、睡眠薬などが処方されるようになっていきました。

そのような後戻りできない状況になった患者はどうなったのでしょうか。単に身体的な副作用に苦しむだけではありませんでした。処方薬依存に陥ったり、受診以前にはなかった自傷行為やオーバードーズで苦しむようになったり、攻撃的になって人間関係が破綻したりしてしまいました。ほとんど記憶や意識がないままに放火や傷害、心中、殺人事件を起こしてしまった人もいました。主治医からは匙を投げられて突き放され、薬を渇望して多重受診や個人輸入、ネットを通した違法売買で薬を入手する人も珍しくありませんでした。

このような状況を作り出した張本人は何ら責任を取ることなく、周囲に尻拭いをさせました。ぐちゃぐちゃにされた患者は、近隣のまだまともな精神科クリニックに流れ着いたり、オーバードーズで救急病院に搬送されたり、精神科病院に強制入院させられたりしました。そのような受け入れ先は、いつも特定の精神科クリニックの患者が流入元であることを知って憤慨するものの、何か手を打てるわけではありませんでした。

多剤大量処方に陥った患者にとどめを刺したのはベゲタミンという薬でした。この薬は１９５７年に塩野義製薬から販売され、本来統合失調症に使われる古いタイプの薬でしたが、本来の用途ではない「最強の睡眠薬」として使われました。過去には睡眠薬として使われていたものの、安全面で問題がある（処方量と致死量が近く、数十日分まとめて服用しただけでも死に至る）という理由であまり使われなくなったバルビツール酸系の成分が、ベゲタミンには含まれていました。最近の睡眠薬は大量に飲んでも死なないと言われますが、ベゲタミンは死ぬことができる薬でした。

そのような危険な薬が、しかも本来の用途ではない形で出された理由は、ベンゾジアゼピン系などの通常の睡眠薬ではもはや効かず、多剤に多剤を重ねてもはや打つ手がないと思われていた人も、作用機序の違いなのかベゲタミンでは眠れるという場合もあったからです。不眠で辛い人にとって、ベゲタミンを出してくれる精神科医はまるで救世主のように思えたかもしれません。本当はその不眠地獄に追いやった張本人であり、最後の引導を渡す死神でしたが。

２０００年代には、ベゲタミンはもはや推奨されない薬でした。日本精神神経学会は２０１５年３月、塩野義製薬に販売中止の要望を伝えました。しかし、それでもベゲタミンは２０１７年３月31日まで販売され続けました。

ナショナルデータベースの処方の分析によると、２０１１年でもベゲタミンは入院患者の約

15％、外来患者の約8％に処方されており、20代の患者に限っても6・4％に処方されていました。(＊)

## 自殺の予防ではなく促進

専門家のロビー活動の結果、2000年代前半、政府は自殺対策をほぼうつ病対策にしてしまいました。うつ病という診断の妥当性は抜きにして、過重労働などのストレスが原因で引き起こされるものをうつ病とするのなら、それは問題の原因ではなく結果に過ぎません。引き起こす原因ではなく、うつ病そのものに働きかけるということは、事故の予防ではなく事故処理に力を入れるようなものです。交通事故が多発している地域で、いくら救急車を増やしても事故が減るわけではありません。

資金繰りに困り果てて追い込まれる中小企業の経営者や、ブラック企業で心身ともに破壊されていく従業員は、精神科治療を受けて問題が解決されるわけではありません。薬を服用することで問題を感じなくすることはできるかもしれませんが、依然として心身を追い詰めている原因は処理されないままそこに存在しているのです。これらは薬ではなく法的に解決すべき問

＊　奥村泰之、野田寿恵、伊藤弘人「日本全国の統合失調症患者への抗精神病薬の処方パターン：ナショナルデータベースの活用」（ｐｄｆ）『臨床精神薬理』第16巻第8号、2013年8月10日、1201―1215頁。

題です。

顧客を増やしたい精神科医、抗うつ薬を売りたい製薬会社、自殺問題を解決したい政府、過労うつ自殺の概念を流行らせて労災認定させたい弁護士らの思惑が一致し、一気に自殺対策＝うつ病治療という合意ができてしまいました。

ところが、そのようなうつ病の早期治療を主体とした自殺対策に決定的に欠けている視点がありました。それは、**つながれた先の精神科で本当に適切な診断や治療が行われているか**という要素です。前述した通り、多剤大量処方や安易なベゲタミン処方というとんでもない状況が精神科外来治療にはびこっていたにもかかわらず、2000年代は何ら適切な手も打たれていませんでした。

うつ病の早期発見に力を入れたはずなのに、2010年まで自殺者数は高止まりし、一向に減る気配がありませんでした。私は厚生労働省に対し、自殺を引き起こす向精神薬のリスクについて注意喚起すること、向精神薬の処方の実態を調査すること、自殺と精神科治療の関係について調べることを繰り返し何度も要望しました。当初はほぼ無視されたのですが、徐々に重い腰が動き始めました。副作用が少ないと言われていたはずの新型抗うつ薬について、ようやく自殺を引き起こすリスクについて注意喚起し始めたのは2006年のことでした。そして、ついに2009年に向精神薬の処方の実態を調査し始めました。また、自殺に関して遺族から生前の詳しい状況を確認する調査を実施したところ、精神科治療で処方されていた薬を大量に服用して自殺する事例が特に若者に目立ったことも判明しました。

政府は、ようやくずさんな精神科治療こそが自殺のリスクであることに気付き、２０１０年から積極的に注意喚起や多剤処方の規制を強めていきました。以下に向精神薬に対する主な注意喚起や規制を示します。

２００６年1月

抗うつ薬に自殺企図を引き起こす危険性があることを記載するよう、国は製薬会社に医薬品添付文書の注意改訂を指示した。

２００７年10月

安易な処方によって若者を中心に薬物依存が広がり、自殺などの問題を引き起こしていたリタリンについて、国はうつ病（難治性うつ病、遷延性うつ病）をその適応症から外すことを決めた。

２０１０年6月

国が「向精神薬等の過量服薬を背景とする自殺について」と題する通知を自治体や医学団体に発行し、医療機関に対して向精神薬の処方について配慮するよう注意喚起を求めた。

２０１２年4月

向精神薬の多剤大量処方が薬物依存や自死につながることを受け、抗不安薬と睡眠薬についてそれぞれ3種類以上処方した場合に診療報酬が減算されるペナルティを国が設けた。

２０１３年3月

18歳未満に対する新規抗うつ薬の効果に疑問があるとして、国は18歳未満への投与を慎重に検討するよう警告した。以前から若年成人へ自殺衝動を高めるリスクが問題となっていた。

２０１４年4月

抗うつ薬と抗精神病薬についても、４種類以上処方した場合に診療報酬が減算されるペナルティを国が設けた。

２０１５年11月

「赤玉」と呼ばれ、乱用が社会問題となっていた向精神薬エリミンが販売中止となった。

２０１６年4月

抗不安薬、睡眠薬、抗うつ薬、抗精神病薬について、それぞれのカテゴリー内で3種類以上処方した場合に診療報酬が大幅減算されるよう、国はペナルティを強化した。

２０１６年9月

依存性を有しながらも規制がなかったことで安易に処方され、処方薬依存の入り口となっていた抗不安薬エチゾラム（主な商品名デパス）及び睡眠薬ゾピクロン（主な商品名アモバン）について、国が向精神薬指定をして規制と罰則を強化した。

２０１６年12月

過量服薬時の致死リスクが高く、依存や乱用、自殺、死亡が問題となっていた向精神薬ベゲタミンが生産中止となった（２０１７年3月31日まで販売）。

２０１７年3月

承認された用量でも依存性が生じるとして、国はベンゾジアゼピン系（及びその近縁）の睡眠薬等44成分について大々的に注意喚起し、漫然とした処方をしないよう呼びかけた。

２０１８年4月

ベンゾジアゼピン受容体作動薬の長期漫然処方（1年以上同一薬剤を同一用量で処方）に対して診療報酬が減算されるよう、国は初めて処方継続期間に対する規制をした。抗不安薬と睡眠薬を合わせて4種類以上処方した場合に診療報酬が減算されるよう、国は多剤処方の規制をさらに強化した。

国内の自殺者数は、２０１０年以降明らかに減っていきました。財務省の審議会である財政制度等審議会は、２０２１年5月21日に発表した「財政健全化に向けた建議」において、以下のように述べています。

自殺者数が11年振りに前年を上回り、自殺対策は大きな課題となっており、自殺に追い込まれることのない社会を目指し、総合的な対策を推進する必要がある。11年前を振り返れば、厚生労働省は、自殺対策に関し、向精神薬の過量処方を問題視していた。その後、向精神薬について、多剤処方や長期処方の適正化を図るべく、累次の診療報酬改定が行われてきたものの、これまでの取組の効果を点検する必要がある。海外では投与期間が制限されている依存性の強い薬剤を含め、例外なく、取組を強化すべきである。

そして、参考資料として以下を示しています（**図16**）。

**図16　向精神薬のうち、承認用量の範囲内においても、連用により薬物依存が生じることがあると指摘されている「ベンゾジアゼピン」の海外での投与期間制限**

| | |
|---|---|
| 英国医薬品・医療製品規制庁<br>医薬品安全委員会 | ・重度の不安に対しベンゾジアゼピンは短期間での使用（2～4週までに留める）と限定（1988年）<br>・漸減期間を含め処方期間は最長で4週までと改めて注意喚起（2011年7月） |
| フランス国立医薬品・医療製品安全庁<br>（2012年） | ・ベンゾジアゼピン誤用の低減のためのアクションプランを発表<br>・不眠治療に対しては4週まで、不安治療に対しては12週までという継続処方期間の制限を設定 |
| カナダ保健省<br>（1982年） | ・ベンゾジアゼピンの抗不安作用に関して、投与開始2～4週以降は効果が期待できないため、1～2週間の投与期間を推奨。<br>・ベンゾジアゼピンの依存性に関しては多数の研究結果から、ジアゼパムでは投与開始2週間～4ヵ月で依存が形成されると推測 |
| デンマーク国家保健委員会<br>（2007年） | ・依存性薬物の処方に関するガイダンスを発表<br>・ベンゾジアゼピンの処方は、不眠治療に対しては1～2週間、不安治療に対しては4週間の投与期間とすることを推奨。 |

中央社会保険医療協議会2017年10月18日資料より作成

## 口だけだった「薬物治療からの脱却」

厚生労働省が、それまで野放しであった向精神薬の処方について、注意喚起や規制をする方向に舵を切った背景には、マスコミの手のひら返しがありました。マスコミも政府と同じく、特定の専門家の意見を鵜呑みにし、うつ病キャンペーンの主な担い手でした。しかし、２００９年２月にＮＨＫスペシャル「うつ病治療　常識が変わる」が放送されたのをきっかけに、テレビや新聞、雑誌などで、薬物療法に偏重し、ずさんな診断や投薬で患者を悪化させている精神科治療の実態が暴かれるようになりました。そのような状態を作り出してきた厚生労働省にも批判の矛先が向けられるようになりました。

その矛先をかわすように、厚生労働省は自殺・うつ病等対策プロジェクトチームを２０１０年に立ち上げるなどし、「薬物治療のみに頼らない診療体制の構築」を掲げました。そこで厚生労働省が目玉として挙げてきたのは、認知行動療法の普及でした。その中心人物は、当時慶應義塾大学保健管理センターの教授を務めていた大野裕医師でした。

このプロジェクトチームの発表は報道でも大々的に取り上げられましたが、まるで認知行動療法が普及すれば薬漬けの問題が解決し、国の主導で薬物偏重から心理カウンセリング重視へと精神医療が変わっていくかのような期待感が煽られました。しかし、プロジェクトチームのとりまとめを熟読すると、薬物治療を否定するどころかむしろ促進・補強する内容になっており、実質的に官製精神医療ビジネスを拡大する内容でした。

厚生労働省が2009年3月に発表した「うつ予防・支援マニュアル（改訂版）」で主任研究者となっていたのが大野医師でした。そのマニュアル中、「薬の服用を躊躇している住民への対応」でこのような記述があります。

うつにかかっているかなりの数の人が抗うつ薬などの向精神薬（精神疾患に使用する薬）を服用することに抵抗感を持っているものです。「薬を飲んで本当に役に立つんですか」と尋ねる人や、「薬を飲んでも、どうせ何も変わりませんよ」と決めつけてしまっている人が少なからず存在しています。

そうした人には、うつにかかっている人の脳内で起きている神経伝達物質（化学物質）の変化について説明しながら薬の効用について話をすると、比較的よく理解してもらえますし、規則的に飲んでもらえる可能性も高まります。

また、「飲んでみないと、役に立つかどうかはわかりませんが、飲む前から役に立たないと決めつけてしまうのは、悲観的すぎるのではないでしょうか」と話してもいいでしょう。これは、うつの精神療法で紹介している認知療法でも指摘されているように、気分が沈み込んでくるとすべてにマイナス思考になり、薬物療法をはじめとする様々な治療法に対しても悲観的になりやすいからです。そのために、薬物療法に対しても実際に服用する前から効果がないと決めつけるようになるのです。

向精神薬を飲むと依存症になるのではないかと心配する人もいます。慣れがでて「どんどん薬の量が増えていってしまうのではないか」、クセになって「やめられなくなるのでないか」と心配になるようです。そうした人には、依存の心配はないし、むしろ中途半端な量を飲んだり、飲んだり飲まなかったりすると症状が長引くことになるので、医師の指導を受けながら服用することが大事であるということを説明するようにしましょう。いずれにしても、身体に大きな問題が起こるような副作用はきわめてまれだということを理解してもらうことが大切です。（以下省略）

薬の弊害を過小評価し、巧妙に薬に誘導する姿勢がこの記述から見られます。「依存の心配はない」というのは事実ではありませんし、「身体に大きな問題が起こるような副作用はきわめてまれ」という表現も正しくありません。「医師の指導を受けながら服用することが大事」というのは、デタラメ投薬をする精神科医が少なからず存在し、医師の指示を忠実に守った結果健康被害に遭った患者が多数存在するという現実を見ていないのです。

私は、大野氏がうつ病キャンペーンの仕掛け人の一人でもあったことや、このマニュアルで不自然に薬物療法に誘導する姿勢が透けて見えていたことから、製薬会社と密接な関係があるだろうと、推測していました。厚生労働省が「薬物治療のみに頼らない」解決策として大野氏を持ち上げる時点で何か怪しいと感じていました。そこで、大野医師がどのくらい製薬会社から金銭を受け取っているのか調べようとしましたが、彼は２０１１年5月まで私立大学の教授であったため、情報は出てきませんでした。しかし、２０１１年6月より国立精神・神経医療研究センターの認知行動療法センター長に就任したことで、その情報を明らかにするチャンスが出てきました。私は同センターに情報公開請求し、以下の情報を明らかにしました（**図17**）。

予想通り少なくない金銭が製薬会社から大野氏に渡っていました。ここでピンと来ました。認知行動療法の普及は薬物療法のシェアを奪うのではなく、むしろ増強する役割を果たすのではないかと。

その推測を裏付ける情報がありました。週刊医学界新聞第２４９７号（医学書院、２００２年8月5日発行）に掲載されている、村崎光邦医師（北里大学名誉教授）と大野医師による座談会「うつ病治療の展望―最近の抗うつ薬の使い方」から引用します。

村崎　大野先生というと、「認知療法」がすぐ頭に浮かぶのですが、認知療法的なアプローチをしながら薬物療法を行なうことはありますか。

大野　それは意識してやっています。例えば最初に薬を出す時に、薬に対する認知というのがありますね。かなりの人は飲みたくはない。薬に頼らないといけなくなって情けないとか、副作用が怖いということがあります。

## 図17　大野裕医師が製薬会社から受け取っていた報酬

| 支払日 | 贈与等又は報酬の支払いの基因となった事実 | 支払いをした事業者 | 内容 | 金額（円） |
|---|---|---|---|---|
| H23.7.8 | 第4回多摩難治性うつ病研究会「難治性うつ病と認知行動療法」（6/24講演1時間、質疑応答15分） | ファイザー | 講演料 | 222,222 |
| H23.7.15 | ジェイゾロフト発売5周年記念講演会「うつ病と認知行動療法」（7/2講演1.25時間、質疑応答30分） | ファイザー | 講演料 | 222,222 |
| H23.7.29 | 第13回いわて不安・抑うつ研究会「プライマリケアにおける認知行動療法（仮）」（7/1講演1時間） | Meiji Seikaファルマ | 講演料 | 111,111 |
| H23.8.5 | 第8回日本うつ病学会ランチョンセミナー5「現代のうつ病を解剖する―うつ病治療のトータルマネージメント2011―」（7/2座長1時間） | グラクソ・スミスクライン | 座長 | 111,111 |
| H23.8.5 | 第40回日本女性心身医学会学術集会ランチョンセミナー1「更年期女性のうつに対する治療ストラテジー」（7/23座長50分） | Meiji Seikaファルマ | 座長 | 111,111 |
| H23.8.10 | 第11回日本外来精神医療学会ランチョンセミナー（7/17座長1時間） | ファイザー | 座長 | 111,111 |
| H23.10.31 | 宇和島医師会学術講演会「うつ病関連テーマ（仮）」（10/7講演・質疑応答1.25時間） | ファイザー | 講演料 | 222,222 |
| H23.11.19 | レクサプロ新発売講演会「うつ病の認知療法」（11/19講演1時間） | 持田製薬／田辺三菱製薬／吉富薬品 | 講演料 | 111,111 |
| H23.11.30 | 第13回感情・行動・認知（ABC）研究会「認知行動療法の実際」（10/8講演30分） | Meiji Seikaファルマ | 講演料 | 111,111 |
| H23.11.30 | 南大阪精神科研修医センター「うつ病の認知行動療法」（11/11講演45分） | アステラス | 講演料 | 166,666 |
| H23.11.30 | 第12回精神科リハ・東京フロンティア「デイケアの現状と今後　CBTの役割」（仮）（11/30講演1時間） | 吉富薬品 | 講演料 | 111,111 |
| H23.12.28 | 第7回山陰難治性精神神経疾患治療研究会「認知行動療法の実際と考え方」（12/10講演1時間） | ヤンセンファーマ | 講演料 | 111,111 |
| H24.1.10 | 第35回日本自殺予防学会総会　ランチョンセミナーでの座長（12/16座長1時間） | ファイザー | 座長 | 111,111 |
| H24.3.4 | 精神医学アドバンスフォーラム「気分障害・うつ病」（3/4講演40分） | エーザイ | 講演料 | 111,111 |
| H24.3.9 | 京都認知行動療法フォーラム2012「うつ病の認知療法マニュアルと今後の展望」（2/25講演1時間） | アステラス | 講演料 | 111,111 |
| | | | | 合計：2,055,553円 |

そこで少し薬について説明し、「最初から怖がっているというところに、あなたの心理的な問題があるのではないか」と話して、「そういうところで少し考え方を変えてみたらどうだろう」と話すことはよくありますね。

薬の副作用を怖れることを認知の歪みとして捉え、薬を飲ませるよう誘導する手法として認知行動療法が使われていることがわかります。それが本来の認知行動療法の使い方として正しいのかわかりませんが、日本における中心人物の考え方はそうなのです。

認知行動療法は２０１０年度から保険診療適用できるようになりましたが、独立した心理カウンセラーが提供するものではなく、あくまで提供するのは医師（及び医師と共同した看護師）となっています。決して既存の医療機関や薬物治療と競合する存在ではありません。

薬物療法と心理療法は対極の存在であり、心理士を増やして心理カウンセリングをもっと普及させたら薬漬けから脱却できるはず…というイメージを持っている人も多いかと思います。しかし、そもそも日本では、（少なくとも保険診療下においては）医師と心理職は対等ではありません。心理職は、あくまでも医師の指示の下で業務を行わないといけないのです。治療方針を決めるのはあくまでも主治医であり、それに逆らう形で心理職が主治医の薬漬けから患者を救うようなこともできません。

結局のところ、心理職は生物医学的精神医療の傘下となり、それを補完する存在でしかありません。それを象徴するのは公認心理師の資格です。**唯一の心理職の国家資格である公認心理師は、**その国家資格という悲願を叶えるために精神科医の手先となることを受け入れてしまいました。

このような状況で認知行動療法を普及させたとしても、決して薬物治療との決別にはつながらず、むしろ「薬物治療のみに頼らない」というイメージを作り上げることでさらなる顧客を獲得して薬物治療を拡大する結果にしかならないでしょう。

## 政策形成に関わる精神科医と製薬会社の癒着

日本では、行政組織内に審議会（及び各種検討会や有識者会議等）を設置し、議論を経た上で、専門家や民間の意見を反映させた形で政策を決定するという流れで政策形成するのが基本です。中央省庁にも自治体にも様々な審議会が設置されています。

日本全体のメンタルヘルス対策も、自治体ごとの自殺対策も、このようなプロセスを経て決定されます。その際、特定の決まった専門家がやたらと招集され、複数の検討会等に名を連ねることも珍しくありません。基本的には行政機関がメンバーを選定するため、「都合の良い」専門家が限定されてしまうのでしょう。

日本の精神医療は異常なほど投薬治療に偏重しています。精神科の早期受診は、ほぼイコール診断&投薬がセットで付いてきます。審議会等に選定された専門家たちはそのような状況を知りながら、精神科の早期受診をメンタルヘルス対策の柱として提案します。そしてそれに対して異議を唱えるような審議会等のメンバーはほぼいません。そしてその案がそのまま採用され、政策となっていくのです。

医薬品の承認に関わる審議会メンバーであれば、医薬品メーカーとどの程度利害関係にあるのかを公表する必要があります。審査に上がった薬の製造元から一定額以上金銭を受け取っている場合、採決に関われない場合もあります。しかし、一般的な政策に関わる審議会等のメンバーについて、医薬品メーカーとの関わりが問われることはありません。

そこで、私は政策に影響を与える特定の精神科医について、どのくらい製薬会社から金銭を受け取っているのかを調べてきました。以前は、情報公開で文書開示の対象となる国公立大学の職員や、公立病院勤務の医師についてしか調べる手段はなかったのですが、製薬会社と医師との間の金銭関係を透明化する動きが米国で起きたのをきっかけに、日本でも２０１１年あたりから製薬業界が自主的に医師や団体に対して支払った金額を公表するようになりました。２０００年代後半から、自殺対策や職場のメンタルヘルス対策の政策形成に関わる検討会や有識者会議が多数立ち上がりましたが、そこに関わる特定の精神科医について、各製薬会社の公開情報を参考にして調べ上げたのが以下の情報です（**図18**）。

○影響力のある精神科医が2013年に製薬会社から受け取った金銭

・内村直尚氏
19、396、142円
久留米大学医学部神経精神医学講座教授
静岡県、内閣府と共に睡眠キャンペーンを推進。

・大野裕氏
3、160、311円
国立精神・神経医療研究センター認知行動療法センター センター長
厚生労働省自殺・うつ病等対策プロジェクトチーム（2010年1月～同年5月）外部有識者
厚生労働省地域におけるうつ対策検討会（2003年7月～2004年3月）構成員
厚生労働省過重労働・メンタルヘルス対策の在り方に係る検討会（2004年4月～同年8月）参集者

・尾崎紀夫氏
8、649、207円
名古屋大学大学院医学系研究科精神医学科精神医学・親と子供の診療学分野教授

厚生労働省職場におけるメンタルヘルス対策検討会（2010年5月〜同年9月）参集者
厚生労働省地域におけるうつ対策検討会（2003年7月〜2004年3月）構成員

・坂元薫氏
10、054、575円
東京女子医科大学神経精神科教授
厚生労働省自殺・うつ病等対策プロジェクトチーム（2010年1月〜同年5月）外部有識者

・中村純氏
6、353、437円
産業医科大学医学部精神医学教室教授
厚生労働省ストレスチェック項目等に関する専門検討会（2014年4月〜）参集者
厚生労働省職場におけるメンタルヘルス対策検討会（2010年5月〜同年9月）参集者

・樋口輝彦氏
4、815、258円
国立精神・神経医療研究センター総長

内閣府自殺対策官民連携協働会議（２０１３年9月～）座長
内閣府自殺対策検証評価会議（２０１３年8月～）オブザーバー
内閣府自殺対策推進会議（２００８年2月～２０１２年8月）座長
内閣府自殺総合対策の在り方検討会（２００６年11月～２００７年4月）構成員
厚生労働省精神障害者に対する医療の提供を確保するための指針等に関する検討会（２０１３年7月～）座長
厚生労働省精神科医療の機能分化と質の向上等に関する検討会（２０１２年3月～同年6月）構成員
厚生労働省今後の精神保健医療福祉のあり方等に関する検討会（２００８年4月～２００９年9月）座長

もちろん、専門家が製薬会社からお金を受け取ることが違法というわけではありません。論文やガイドライン作成時にも公表しているし、やましいことなどないと本人は主張するかもしれません。しかし、一般市民はこのような事実を知りません。

どうして日本の精神科は薬を出すばかりなのか、どうして日本の自殺対策は早期に精神科受診を進めることが中心なのか、どうして日本のメンタルヘルス対策は早期発見・早期受診に偏っているのだろうか、と薄々疑問に感じている人々はいます。そして、精神科に早期につなげたのに、良くなるどころか悪化していく人を目の当たりにし、さらにその疑問を強くしている人々がいます。しかし、なぜか政策決定に関わる関係者は、つなげた先の精神科治療について調べません。早期発見・早期受診・早期治療が絶対的に良いものであるという「信仰」は揺るぎません。

## NHKと製薬マネー

スポンサーが背後にある民放よりも、公共放送であるNHKの方が信頼できると考える人も多いでしょう。医療・健康情報番組も、製薬会社や医療機器メーカーがスポンサーにもなっている民放よりも、NHKの方が中立で偏りがないと思われているでしょう。

しかし、単純にスポンサーの有無だけで判断するのは浅はかです。それ以外の手法でも、製薬会社は番組に影響力を及ぼすことができるからです。例えば、NHKの有名番組である「きょうの健康」は、番組ホームページにおいて「がんや心臓病など命を奪うおそれのある病気から、効果的な運動や体操の方法まで、確かな取材に基づいた信頼のおける医学・健康の最新情報を、第一線で活躍する医師・専門家の方々をゲストに迎え、分かりやすくお伝えします。」と番組の説明がされています。このゲストが製薬会社から多額の金銭を受け取っていることもあるのです。精神科系で番組に登場した人物が、それぞれどれだけ製薬会社から金銭を

### 図18　製薬会社から支払われた金銭の内訳（2014年公表分）

| | 内村直尚氏 | 大野裕氏 | 尾崎紀夫氏 | 坂元薫氏 | 中村純氏 | 樋口輝彦氏 |
|---|---|---|---|---|---|---|
| グラクソ・スミスクライン | 167,055 | 523,439 | 256,151 | 1,893,031 | 445,480 | 111,370 |
| 日本イーライリリー | 1,559,180 | 334,110 | 1,225,070 | 2,004,660 | 1,447,810 | 423,206 |
| ファイザー | 278,426 | 167,056 | 222,740 | 834,890 | 612,277 | 167,055 |
| 大塚製薬 | 2,000,000 | 500,000 | 1,300,000 | 3,500,000 | 750,000 | 900,000 |
| アステラス製薬 | 600,000 | 450,000 | 650,000 | 100,000 | 150,000 | 100,000 |
| ヤンセンファーマ | 278,425 | 0 | 222,740 | 0 | 389,795 | 807,434 |
| 武田薬品工業 | 1,169,392 | 0 | 167,056 | 0 | 0 | 0 |
| Meiji Seika ファルマ | 424,268 | 0 | 318,201 | 530,335 | 159,100 | 212,134 |
| 持田製薬 | 55,685 | 334,110 | 501,166 | 890,960 | 300,699 | 111,370 |
| 大日本住友製薬 | 167,055 | 0 | 2,668,667 | 189,329 | 389,796 | 1,002,334 |
| 塩野義製薬 | 318,202 | 106,067 | 371,235 | 0 | 795,504 | 212,134 |
| 旭化成ファーマ | 0 | 0 | 0 | 0 | 222,741 | 111,370 |
| ノバルティスファーマ | 0 | 0 | 111,370 | 0 | 0 | 100,000 |
| MSD | 1,447,815 | 111,370 | 111,370 | 111,370 | 222,481 | 111,370 |
| エーザイ | 9,946,955 | 0 | 334,112 | 0 | 222,740 | 0 |
| 第一三共 | 445,482 | 0 | 0 | 0 | 77,959 | 0 |
| 中外製薬 | 0 | 0 | 0 | 0 | 0 | 111,370 |
| アストラゼネカ | 0 | 111,370 | 0 | 0 | 0 | 0 |
| アッヴィ | 0 | 0 | 77,959 | 0 | 0 | 167,056 |
| 杏林製薬 | 318,202 | 0 | 0 | 0 | 0 | 0 |
| 帝人ファーマ | 220,000 | 0 | 0 | 0 | 0 | 0 |
| 協和発酵キリン | 0 | 522,789 | 111,370 | 0 | 167,055 | 167,055 |
| 合　計 | 19,396,142 | 3,160,311 | 8,649,207 | 10,054,575 | 6,353,437 | 4,815,258 |

講師謝金、原稿執筆料、監修料、コンサルティング、業務委託費の合計金額を記載（単位：円）
各製薬会社の公開情報を参考に作成

受け取っていたのか一覧にしてみました（図19）。

　驚くべきことに、**5年で6000万円以上も受け取っている精神科医もいました**。論文やガイドラインの場合、著者はその研究の公正・中立性に疑問を抱かせる可能性のあるすべての利害関係（金銭的・個人的関係）を開示することが求められています。一方、この手の健康情報番組の視聴者にはこのような事実は知らされません。そのため、出演する専門家がやたらと薬物治療を持ち上げたとしても視聴者は不自然に思わないのです。

　その他にも、ＮＨＫの子会社（ＮＨＫエンタープライズやＮＨＫ厚生文化事業団）が主催で、特定の疾患（うつ病、統合失調症、双極性障害、認知症など）について取り上げるフォーラムが開催され、その様子がEテレ（ＮＨＫ教育）でそのまま放映されることがあります。

　しかし、よく見てみると、そのフォーラムの協賛が製薬会社であったりします。（例：２０１５年10月18日に開催されたフォーラム「うつ病と躁うつ病を知る」の協賛は日本イーライリリー株式会社、２０１６年7月31日に開催されたフォーラム「統合失調症を生きる～病とともに 自分らしく～」の協賛は大塚製薬株式会社、２０２１年12月5日に開催された「認知症新時代 いきいきと暮らすために」オンラインフォーラムの協賛はエーザイ株式会社）

　製薬会社がスポンサーに付き、その息のかかった特定の精神科医がゲストとして呼ばれて薬物治療について言及し、全体として受診行動を促すメッセージになっているイベントが開催され、しかもその様子がそのまま公共放送として流れるのです。これはまさにステルスマーケ

## 図19　NHKの健康情報番組に出演した主な精神科医と製薬会社との金銭関係

| 肩書き | 氏名 | 専門 | 2016年 | 2017年 | 2018年 | 2019年 | 2020年 | 合計 |
|---|---|---|---|---|---|---|---|---|
| 日本自殺予防学会<br>理事長 | 張賢徳 | うつ病<br>自殺予防学 | 1,952,886 | 3,557,179 | 1,735,991 | 2,950,430 | 2,942,907 | 13,139,393 |
| 国立精神・神経医療研究センター　部長 | 松本俊彦 | 依存症、<br>自殺予防 | 2,275,071 | 2,003,646 | 1,127,787 | 2,497,967 | 1,250,024 | 9,154,495 |
| 国立病院機構<br>久里浜医療センター院長 | 樋口進 | 依存症 | 2,147,413 | 1,726,235 | 2,270,710 | 5,750,061 | 2,294,521 | 14,188,940 |
| 国立精神・神経医療研究センター部長 | 栗山健一 | 睡眠障害 | 579,124 | 1,085,559 | 754,771 | 1,297,562 | 1,038,254 | 4,755,270 |
| 東邦大学　教授 | 水野雅文 | 予防精神医学、<br>社会精神医学 | 2,485,790 | 2,840,079 | 2,340,817 | 2,494,651 | 1,593,570 | 11,754,907 |
| 秋田大学大学院　教授 | 三島和夫 | 睡眠の治療や<br>研究 | 3,578,375 | 3,011,891 | 2,168,686 | 4,657,068 | 5,947,603 | 19,363,623 |
| 理化学研究所<br>副センター長 | 加藤忠史 | 精神科 | 2,319,418 | 2,676,234 | 2,490,655 | 2,279,078 | 8,865,381 | 18,630,766 |
| 杏林大学医学部　教授 | 渡邊衡一郎 | うつ病 | 9,355,590 | 9,782,780 | 特になし | 特になし | 特になし | 19,138,370 |
| 日本大学　教授 | 内山真 | 気分障害と<br>睡眠障害 | 6,933,325 | 5,871,155 | 5,042,904 | 4,272,654 | 3,940,272 | 26,060,310 |
| 藤田医科大学　教授 | 岩田仲生 | 分子精神医学、<br>遺伝精神医学 | 8,397,405 | 10,080,883 | 14,969,262 | 14,580,386 | 12,211,308 | 60,239,244 |
| 国立精神・神経医療研究センター　部長 | 岡田俊 | 発達障害の<br>診断・治療 | 2,478,420 | 4,099,009 | 3,804,142 | 3,063,015 | 1,114,481 | 14,559,067 |
| 認知行動療法研修開発センター　理事 | 菊地俊暁 | 精神神経科 | 1,744,085 | 1,631,354 | 1,379,839 | 1,801,189 | 2,452,983 | 9,009,450 |
| 昭和大学　教授 | 岩波明 | 発達障害 | 6,929,733 | 4,748,478 | 3,188,071 | 2,204,334 | 1,439,907 | 18,510,523 |
| 秋田大学大学院<br>准教授 | 神林崇 | 睡眠覚醒障害、<br>ナルコレプシー | 2,076,629 | 1,219,296 | 622,077 | 837,749 | 2,064,463 | 6,820,214 |
| 大阪回生病院　睡眠医療センター　部長 | 谷口充孝 | 睡眠時無呼吸・<br>過眠症・不眠症 | 4,680,663 | 5,016,426 | 4,583,880 | 5,036,444 | 5,652,220 | 24,969,633 |
| 東京慈恵会医科大学<br>教授 | 繁田雅弘 | もの忘れ外来・<br>精神科 | 8,199,103 | 8,724,108 | 6,074,903 | 3,267,273 | 3,198,229 | 29,463,616 |
| 東京都健康長寿医療センター　研究部長 | 粟田主一 | 老年精神医学 | 1,481,221 | 1,497,189 | 1,537,318 | 1,247,701 | 479,961 | 6,243,390 |
| 慶應義塾大学　教授 | 三村將 | 神経心理学、<br>老年精神医学 | 8,127,064 | 7,132,381 | 特に無し | 特に無し | 特に無し | 15,259,445 |
| 大分大学　教授 | 寺尾岳 | 双極性障害 | 4,435,909 | 5,099,678 | 3,372,450 | 4,238,781 | 4,337,727 | 21,484,545 |
| 札幌医科大学　教授 | 河西千秋 | 自殺予防 | 2,287,569 | 2,116,153 | 1,107,689 | 2,038,195 | 964,919 | 8,514,525 |
| 東京医科大学　教授 | 井上雄一 | 睡眠学 | 3,653,058 | 4,723,527 | 4,595,975 | 3,232,066 | 3,406,505 | 19,611,131 |

参考：製薬マネーデータベース「YEN FOR DOCS」
※2016年度～2019年度データは医療ガバナンス研究所とTansaの共同研究、2020年度は医療ガバナンス研究所による（単位：円）

ティングと呼ぶべきではないのでしょうか。

ちなみに、「NHK厚生文化事業団　平成25年度事業報告書」には、賛助会員として「日本イーライリリー」が名を連ねています（確認する限りはこの年度だけですが）。NHKにはスポンサーが付かないから公正で中立だという「イメージ」は幻想だということがわかるでしょう。公共放送を装っているだけに、受診行動を促す効果は民放どころかCMよりもはるかに強力だと言えるでしょう。

実際、NHKの医療健康番組を視聴して自分にも当てはまるかもしれないと不安になり、精神科を受診した人々が多数存在します。しかし、彼らは受診先にとんでもない精神科医が存在するという事実を一切知らされていなかったのです。薬物治療のメリットはしばしば誇張する形で知らされていても、「本当」のデメリットは知らされず、受診や服薬を後悔する人々も絶えません。

## 製薬マネーが入り込む大学や研究機関

今や、どこの大学も研究機関も資金が潤沢とは言えません。学生からの納付金や国からの交付金などのみでは到底運営が賄えません。そこで重要になってくるのが奨学寄附金です。奨学寄附金の説明について、日本製薬工業協会のホームページから引用します。

Q15．奨学寄附金とはどのようなものですか？

回答

学術研究の振興および研究助成を目的として行われる寄附金のうち、大学をはじめとする研究機関に対する教育・研究等の奨学を目的とした寄附金が奨学寄附金です。また、奨学寄附金は各研究機関の会計規定等に基づいて受け入れられ、その使途を具体的な学術研究目的に指定するなど、厳格なルールに基づいて運用されています。

少し調べたらわかりますが、日本の大学医学部や研究機関が受け入れている奨学寄附金の支払い元の多くは製薬会社です。営利企業が公共の目的のためにお金を寄附するという行為自体はおかしなことではありません。しかし、利害関係者からの寄附金の場合、それは純粋な社会貢献というわけではなく、むしろスポンサー料・協賛金としての意味合いが濃くなります。それは、資金を提供する側と受ける側という上下関係を作り出し、たとえ提供側に下心がなかったとしても、スポンサーの顔に泥を塗るような結果を出してはいけないという無意識の圧力や忖度が発生してしまいます。

このようにして、薬物治療を否定するような研究や見解は出しづらい空気が出来上がっているのです。なかでも、精神科は他科と比較しても極端に薬物治療に偏重しています。それぞれの大学医学部精神医学系の教室に対し、実際にどれくらいの寄附金がどこの会社から出されているのでしょうか。以下、調べたものを一覧にします（図20）。

これらに加えて、教授ら職員に対して個別に謝礼が支払われているのです。

このような背景によって、ますます精神科治療は薬に依存し、それ以外の治療についての研究や普及がなかなか広がらない状況が作り上げられています。

## 図 20　製薬会社から大学への奨学寄附金（単位：円）

| | | 2017 年 | 2018 年 | 2019 年 | 2020 年 | 合計 |
|---|---|---|---|---|---|---|
| 〈国立〉 | | | | | | |
| 北海道大学 | 精神医学教室 | 8,500,000 | 7,400,000 | 6,050,000 | 7,300,000 | 31,350,000 |
| | 児童思春期精神医学分野 | 300,000 | 300,000 | | | |
| | 大学病院児童思春期精神科 | | | | 300,000 | |
| | 大学病院精神科神経科 | 500,000 | | | 700,000 | |
| 旭川医科大学 | 精神医学講座 | 2,900,000 | 2,900,000 | 1,300,000 | 300,000 | 7,400,000 |
| 弘前大学 | 神経精神医学講座 | 3,400,000 | 3,000,000 | 3,700,000 | 4,100,000 | 14,200,000 |
| 東北大学 | 精神神経学 | 2,600,000 | 1,000,000 | | 500,000 | 9,600,000 |
| | 大学病院精神科 | 1,000,000 | 2,000,000 | 1,500,000 | 1,000,000 | |
| 秋田大学 | 精神科学講座 | 1,000,000 | 2,000,000 | 2,500,000 | 1,300,000 | 7,300,000 |
| | 附属病院精神科 | 500,000 | | | | |
| 山形大学 | 精神医学講座 | 3,300,000 | 3,700,000 | 3,650,000 | 4,100,000 | 14,750,000 |
| 筑波大学 | 精神医学 | 5,300,000 | 4,900,000 | 3,750,000 | 4,400,000 | 19,350,000 |
| | 大学病院精神神経科 | 500,000 | | | 500,000 | |
| 群馬大学 | 神経精神医学 | 2,100,000 | 1,000,000 | 1,100,000 | 2,000,000 | 6,200,000 |
| 千葉大学 | 精神医学 | 3,800,000 | 3,900,000 | 3,400,000 | 3,300,000 | 15,150,000 |
| | 子どものこころの発達教育研究センター | | 500,000 | 250,000 | | |
| 東京大学 | 精神医学 | 2,000,000 | 1,200,000 | 1,200,000 | 2,100,000 | 14,900,000 |
| | こころの発達医学分野 | | | | 300,000 | |
| | 附属病院精神神経科 | 2,000,000 | 2,500,000 | 2,300,000 | 1,300,000 | |
| 東京医科歯科大学 | 精神行動医科学 | 5,700,000 | 500,000 | 4,350,000 | 4,800,000 | 17,330,000 |
| | 大学病院精神科 | 1,980,000 | | | | |
| 新潟大学 | 精神医学 | 9,200,000 | 8,100,000 | 3,750,000 | 6,900,000 | 27,950,000 |
| 富山大学 | 神経精神医学講座 | 1,800,000 | 800,000 | 1,000,000 | 1,800,000 | 7,950,000 |
| | 附属病院神経精神科 | 1,300,000 | 1,000,000 | 250,000 | | |
| 金沢大学 | 精神行動科学 | 2,400,000 | 1,100,000 | 800,000 | 1,400,000 | 5,700,000 |
| 福井大学 | 精神医学 | 1,700,000 | 2,500,000 | 2,650,000 | 3,300,000 | 12,750,000 |
| | 子どものこころの発達研究センター | 700,000 | 300,000 | 500,000 | 1,100,000 | |
| 山梨大学 | 精神神経医学·臨床倫理学講座 | 3,000,000 | 1,500,000 | 1,500,000 | 1,900,000 | 7,900,000 |
| 信州大学 | 精神医学教室 | 3,500,000 | 1,500,000 | 1,050,000 | 2,300,000 | 12,900,000 |
| | 子どものこころの発達医学教室 | 1,800,000 | 1,300,000 | 250,000 | 1,200,000 | |
| 岐阜大学 | 精神病理学分野 | 1,400,000 | 300,000 | 750,000 | 2,700,000 | 5,150,000 |
| 浜松医科大学 | 精神医学講座 | 3,200,000 | 2,600,000 | 1,000,000 | 2,000,000 | 8,800,000 |
| 名古屋大学 | 精神医学 | 10,600,000 | 7,000,000 | 2,450,000 | 6,900,000 | 36,750,000 |
| | 附属病院精神科 | 7,500,000 | | | | |
| | 附属病院親と子どもの心療科 | 500,000 | 500,000 | | | |
| | 脳とこころの研究センター | 500,000 | 800,000 | | | |
| 三重大学 | 精神神経科学 | 3,500,000 | 3,100,000 | 2,400,000 | 3,100,000 | 12,100,000 |
| 滋賀医科大学 | 精神医学講座 | 4,100,000 | 5,000,000 | 4,000,000 | 3,900,000 | 17,000,000 |
| 京都大学 | 精神医学 | 3,500,000 | 2,900,000 | 3,100,000 | 3,900,000 | 16,400,000 |
| | 附属病院精神科神経科 | 2,500,000 | 500,000 | | | |
| 大阪大学 | 精神医学教室 | 10,400,000 | 5,500,000 | 5,200,000 | 6,500,000 | 34,800,000 |
| | こころの発達神経科学講座 | 500,000 | | | | |
| | 精神健康医学 | 300,000 | | | | |
| | 行動神経学·神経精神医学寄附講座 | | 3,000,000 | 1,600,000 | 1,000,000 | |
| | 大学病院神経科·精神科 | 800,000 | | | | |
| 神戸大学 | 精神医学分野 | 3,300,000 | 3,000,000 | 2,300,000 | 3,300,000 | 12,700,000 |
| | 大学病院精神科神経科 | 500,000 | | | 300,000 | |
| 鳥取大学 | 精神行動医学 | 3,300,000 | 1,300,000 | 300,000 | 1,200,000 | 6,100,000 |
| 島根大学 | 精神医学講座 | 3,200,000 | 7,800,000 | 3,850,000 | 5,000,000 | 20,650,000 |
| | 大学病院精神科 | 500,000 | | | | |
| | 免疫精神神経学共同研究講座 | | | | 300,000 | |
| 岡山大学 | 精神神経病態学 | 3,300,000 | 2,500,000 | 1,000,000 | 2,000,000 | 8,800,000 |
| 広島大学 | 精神神経医科学 | 1,000,000 | 1,500,000 | 1,300,000 | 2,100,000 | 6,900,000 |
| | 大学病院精神科 | | | 500,000 | 500,000 | |
| 山口大学 | 附属病院精神科 | 3,000,000 | | | | 3,000,000 |

## 図 20　製薬会社から大学への奨学寄附金（続き）

| | | 2017 年 | 2018 年 | 2019 年 | 2020 年 | 合計 |
|---|---|---|---|---|---|---|
| 徳島大学 | 精神医学 | 6,500,000 | 3,300,000 | 1,750,000 | 3,100,000 | 15,150,000 |
| | 大学病院精神科神経科 | 500,000 | | | | |
| 香川大学 | 精神神経医学講座 | 10,100,000 | 6,600,000 | 4,200,000 | 7,100,000 | 31,600,000 |
| | 臨床心理学科精神医学教室 | | 800,000 | | 1,300,000 | |
| | 附属病院精神科神経科 | 1,000,000 | | | 500,000 | |
| 愛媛大学 | 精神神経科学 | 3,800,000 | 2,100,000 | 1,500,000 | 2,500,000 | 9,900,000 |
| 高知大学 | 神経精神科学教室 | 4,600,000 | 4,000,000 | 2,100,000 | 2,300,000 | 13,000,000 |
| 九州大学 | 精神病態医学 | 4,400,000 | 4,000,000 | 3,500,000 | 4,300,000 | 16,800,000 |
| | 大学病院精神科・神経科 | 300,000 | | | 300,000 | |
| 佐賀大学 | 精神医学講座 | 4,400,000 | 2,800,000 | 2,050,000 | 2,900,000 | 12,150,000 |
| 長崎大学 | 精神神経科学 | 3,700,000 | 2,200,000 | 1,350,000 | 2,900,000 | 10,450,000 |
| | 病院地域連携児童精神医学 | 300,000 | | | | |
| 熊本大学 | 神経精神医学分野 | 7,100,000 | 5,000,000 | 3,750,000 | 5,200,000 | 24,050,000 |
| | 附属病院神経精神科 | 3,000,000 | | | | |
| 大分大学 | 精神神経医学講座 | 3,400,000 | 1,900,000 | 2,950,000 | 3,500,000 | 11,750,000 |
| 宮崎大学 | 精神医学分野 | 3,700,000 | 2,800,000 | 2,500,000 | 2,400,000 | 11,600,000 |
| | 大学病院精神科 | 200,000 | | | | |
| 鹿児島大学 | 精神機能病学分野 | 1,900,000 | 1,600,000 | 1,500,000 | 1,800,000 | 6,800,000 |
| 琉球大学 | 精神病態医学講座 | 3,700,000 | 2,400,000 | 2,350,000 | 3,200,000 | 11,750,000 |
| | 附属病院精神科 | 100,000 | | | | |
| 〈公立〉 | | | | | | |
| 札幌医科大学 | 神経精神医学講座 | 5,200,000 | 5,500,000 | 4,250,000 | 5,300,000 | 20,250,000 |
| 福島県立医科大学 | 神経精神医学講座 | 3,500,000 | 2,100,000 | 500,000 | 300,000 | 9,400,000 |
| | 会津医療センター精神医学講座 | 1,000,000 | 1,000,000 | 500,000 | 500,000 | |
| 横浜市立大学 | 精神医学教室 | 2,800,000 | 1,900,000 | 2,202,510 | 3,100,000 | 13,402,510 |
| | 附属精神医療センター | 500,000 | 800,000 | 300,000 | 1,800,000 | |
| 名古屋市立大学 | 精神・認知・行動医学 | 3,000,000 | 1,700,000 | 1,450,000 | 2,100,000 | 8,250,000 |
| 京都府立医科大学 | 精神機能病態学 | 1,300,000 | 1,400,000 | 1,300,000 | 1,500,000 | 8,000,000 |
| | 大学病院精神医学 | 500,000 | 500,000 | 500,000 | 1,000,000 | |
| 大阪市立大学 | 神経精神医学 | 4,550,000 | 2,500,000 | 600,000 | 2,000,000 | 9,650,000 |
| 奈良県立医科大学 | 精神医学 | 8,600,000 | 7,000,000 | 2,950,000 | 4,600,000 | 23,150,000 |
| 和歌山県立医科大学 | 神経精神医学 | 3,400,000 | 2,200,000 | 2,550,000 | 2,100,000 | 10,250,000 |
| 〈私立〉 | | | | | | |
| 岩手医科大学 | 神経精神科学講座 | 2,500,000 | 2,000,000 | | 2,200,000 | 6,700,000 |
| 東北医科薬科大学 | 精神科学 | 1,100,000 | 1,700,000 | 2,950,000 | 3,300,000 | 9,050,000 |
| 自治医科大学 | 精神医学講座 | 1,100,000 | 1,000,000 | 500,000 | 1,600,000 | 4,700,000 |
| | 大学病院精神科 | 500,000 | | | | |
| 獨協医科大学 | 精神神経医学講座 | 4,900,000 | 1,600,000 | 1,550,000 | 2,500,000 | 12,350,000 |
| | 埼玉医療センターこころの診療科 | | 400,000 | | 600,000 | |
| | 越谷病院こころの診療科 | 800,000 | | | | |
| 埼玉医科大学 | 神経精神科・心療内科 | 1,400,000 | 2,200,000 | 1,550,000 | 2,700,000 | 8,750,000 |
| | 総合医療センターメンタルクリニック | 600,000 | | | 300,000 | |
| 国際医療福祉大学 | 精神医学教室 | | | | 300,000 | 300,000 |
| 杏林大学 | 精神神経科学教室 | 4,300,000 | 2,500,000 | 3,300,000 | 2,600,000 | 12,700,000 |
| 慶應義塾大学 | 精神神経科学教室 | 13,100,000 | 9,400,000 | 8,900,000 | 7,900,000 | 39,300,000 |
| 順天堂大学 | 精神医学講座 | 6,500,000 | 5,600,000 | 1,750,000 | 3,600,000 | 49,950,000 |
| | 附属練馬病院精神医学 | | | | 300,000 | |
| | 附属練馬病院メンタルクリニック | 500,000 | 1,500,000 | 1,950,000 | 1,700,000 | |
| | 附属順天堂越谷病院メンタルクリニック | 1,800,000 | 800,000 | 1,500,000 | 1,800,000 | |
| | 附属浦安病院メンタルクリニック | 2,400,000 | 2,400,000 | 1,850,000 | 2,300,000 | |
| | 附属静岡病院メンタルクリニック | 2,000,000 | 2,200,000 | 2,000,000 | 2,500,000 | |
| | 高齢者医療センターメンタルクリニック | 2,000,000 | 1,000,000 | | | |
| 昭和大学 | 精神医学講座 | 6,200,000 | 4,600,000 | 1,500,000 | 4,100,000 | 22,050,000 |
| | 附属烏山病院精神科 | 500,000 | 500,000 | 550,000 | 300,000 | |
| | 附属東病院精神神経科 | 1,000,000 | | | | |
| | 横浜市北部病院メンタルケアセンター | 1,000,000 | 1,000,000 | 300,000 | 500,000 | |
| 帝京大学 | 精神神経科学講座 | 3,200,000 | 1,100,000 | 300,000 | 600,000 | |

## 図 20　製薬会社から大学への奨学寄附金（続き）

| | | 2017 年 | 2018 年 | 2019 年 | 2020 年 | 合計 |
|---|---|---|---|---|---|---|
| 帝京大学 | 附属溝口病院精神科学 | 1,400,000 | 1,500,000 | | | 14,950,000 |
| | ちば総合医療センターメンタルヘルス科 | 1,800,000 | 2,200,000 | 1,250,000 | 1,600,000 | |
| 東京医科大学 | 精神医学分野 | 8,000,000 | 3,200,000 | 3,450,000 | 3,900,000 | 21,200,000 |
| | 八王子医療センターメンタルヘルス科 | 500,000 | 600,000 | 950,000 | 600,000 | |
| 東京慈恵会医科大学 | 精神医学講座 | 7,000,000 | 4,500,000 | 3,800,000 | 3,600,000 | 29,700,000 |
| | 葛飾医療センター精神神経科 | 3,700,000 | 1,500,000 | 2,000,000 | 2,500,000 | |
| | 附属第三病院精神神経科 | 1,100,000 | | | | |
| 東京女子医科大学 | 精神医学教室 | 4,800,000 | 3,300,000 | 2,000,000 | 3,900,000 | 17,600,000 |
| | 東医療センター精神科 | 1,200,000 | 1,200,000 | 500,000 | 700,000 | |
| 東邦大学 | 精神神経医学講座 | 2,800,000 | 1,700,000 | 2,200,000 | 1,500,000 | 21,150,000 |
| | 佐倉病院精神神経医学講座 | 300,000 | | | | |
| | 大森病院精神神経医学講座 | 3,700,000 | 2,400,000 | 2,000,000 | 3,300,000 | |
| | 大森病院メンタルヘルスセンター | 500,000 | 500,000 | 250,000 | | |
| 日本大学 | 精神医学分野 | 5,900,000 | 3,000,000 | 2,450,000 | 3,100,000 | 15,450,000 |
| | 附属板橋病院精神医学 | 500,000 | | | 500,000 | |
| 日本医科大学 | 精神医学教室 | 1,800,000 | 1,600,000 | 2,000,000 | 2,100,000 | 15,000,000 |
| | 附属病院精神神経科 | 1,000,000 | 700,000 | 500,000 | 1,000,000 | |
| | 千葉北総病院メンタルヘルス科 | 1,800,000 | 600,000 | 900,000 | 1,000,000 | |
| 北里大学 | 精神科学 | 2,800,000 | 1,500,000 | 1,750,000 | 2,900,000 | 8,950,000 |
| 聖マリアンナ医科大学 | 神経精神科学教室 | 2,600,000 | 2,600,000 | 1,700,000 | 1,200,000 | 8,100,000 |
| 東海大学 | 精神科学 | 2,500,000 | 4,000,000 | 1,700,000 | 2,200,000 | 10,400,000 |
| 金沢医科大学 | 精神神経科学 | 1,600,000 | 1,200,000 | 250,000 | 1,300,000 | 4,350,000 |
| 愛知医科大学 | 精神科学講座 | 3,800,000 | 3,500,000 | 2,600,000 | 1,700,000 | 11,600,000 |
| 藤田医科大学 | 精神神経科学講座 | 8,300,000 | 7,000,000 | 5,200,000 | 6,300,000 | 26,800,000 |
| 大阪医科大学 | 神経精神医学教室 | 3,500,000 | 2,000,000 | 750,000 | 1,700,000 | 7,950,000 |
| 関西医科大学 | 精神神経科学講座 | 4,900,000 | 4,400,000 | 3,050,000 | 5,200,000 | 18,050,000 |
| | 総合医療センター精神神経科 | 500,000 | | | | |
| 近畿大学 | 精神神経科学教室 | 2,300,000 | 1,600,000 | 1,800,000 | 1,900,000 | 7,600,000 |
| 兵庫医科大学 | 精神科神経科学教室 | 2,700,000 | 2,100,000 | 1,000,000 | 2,900,000 | 8,700,000 |
| 川崎医科大学 | 精神科学教室 | | | 500,000 | 500,000 | 1,000,000 |
| 久留米大学 | 神経精神医学講座 | 13,000,000 | 6,100,000 | 3,850,000 | 7,800,000 | 30,750,000 |
| 産業医科大学 | 精神医学講座 | 4,600,000 | 3,100,000 | 2,100,000 | 3,400,000 | 13,200,000 |
| 福岡大学 | 精神医学教室 | 1,400,000 | 3,000,000 | 2,350,000 | 3,100,000 | 9,850,000 |

参考：製薬マネーデータベース「YEN FOR DOCS」
※ 2016 年度～ 2019 年度データは医療ガバナンス研究所と Tansa の共同研究、2020 年度は医療ガバナンス研究所による（単位：円）

# 第4章　大衆を騙す様々なトリック

## 「優良誤認」業界

ここまで、精神医療業界の実態について様々な角度から述べてきましたが、一般の人々が抱いているイメージと本当の姿との間に極端な差があることがわかったと思います。極端な話、精神医療業界そのものが「優良誤認」(商品・サービスの品質を、実際よりも優れていると偽って宣伝したり、競争業者が販売する商品・サービスよりも特に優れているわけではないのに、あたかも優れているかのように偽って宣伝する行為)業界だと言うこともできるでしょう。実際の治療現場のみならず、研究、治験、診療報酬の請求、ＰＲ、マーケティングなど随所に人を騙す様々なトリックがあります。

・効果がないものをあるように見せる
・危険なものを安全に見せる
・価値のないものをあるように見せる
・失敗を成功に見せる
・単なる意見を証明された事実のように見せる
・根拠のないものを科学的に見せる
・広告や宣伝を客観的なニュースに見せる

・不可能なことを可能であるかのように見せる
・拷問や差別、虐待を人道的ケアに見せる

以上のような手法を用いて、精神医療業界は政府からの信頼を獲得し、大衆からの支持を得てきました。健全な業界であればこのような手法に頼る必要などないはずですが、なぜそうしてきたのでしょうか。ひとえに、**精神医療業界は結果を出していない**という事実に尽きます。原因も解明できていない、客観的な診断もできない、患者を治していないという現実を隠すために、もうほとんど解明されたかのように説明し、正しい診断ができているかのように振る舞い、強引に寛解に持ち込む治療のみが正しいと必死になって思わせてきたのです。

自分の限界を知り、できないことはできないと公言し、政府や市民の無駄な期待感を煽ることもなく、その現実に向き合いながら、その時点でできることを最大限にやるというのが本来の姿でしょう。しかしそのように振る舞えない要素があります。それは、**精神科医が分不相応な権限をすでに持ってしまった**からです。

例えば、精神保健福祉法は、権限を与えた精神保健指定医は常に正しい判定をするという前提の下で成り立っています。同様に、発達障害者支援法は、専門家が正しく早期発見し、早期診断できるという前提の下に成り立っています。現実をまったく知らない、あるいはあえて見ていない国会議員（及び審議会等の議論を通して内閣提出法律案としてまとめた役人）によってこのような法律が作られているからです。

同様に、法律に従って作成された様々な計画（障害者プラン、医療計画、自殺総合対策大綱など）も、そのような現実とかけ離れた前提の下で成り立っています。一度「専門家である精神科医は正しい診断と科学的で効果的な治療ができる」という前提ができてしまった以上、そのとおりに振る舞わないと矛盾が生じてしまうのです。そのため、**業界自体が正当化や優良誤認表示をし続けないといけない**というドツボにはまってしまっているのです。

本当は周囲に期待されるほどの実力がないのに、一度有能なふりをしてしまったがために、その後もずっと嘘を重ねて有能なふりをし続けないといけない人生を送っている人に対しては、心より同情します。ただ、それを辛いと感じるまともな感性のある人なら、すぐにそこから足を洗うか、それをできる立場になければいずれ病んでしまうことでしょう。恐ろしいのは、何ら罪悪感を抱くこともなく、何の責任を感じることもなく、自然に有能なふりができてしまう人です。

そのような人物が精神医療業界の至るところに存在し、重鎮ですらそのような態度を示す現状では、自浄作用など期待できません。次章でお伝えするように、国際的には、心から問題の本質に向き合ってきた一部の人々を中心に改善（正確には改革）の光も見えてきています。しかし、日本の精神医療業界はひたすら正当化し続け、無責任な態度を示しています。

本章では、どのような手口で人々を騙しているのかについて触れていきます。

## デタラメな数値化

一番多くの大衆を騙しやすい手法は、とにかく数値を前面に出してインパクトを与えることです。その際、その数値にはこじつけ程度の根拠さえあれば良いのです。これはマスコミが大衆扇動や世論形成に使う常套手段でもあります。

注意深い人は鵜呑みにはせず、数値の根拠まで調べて信用に値するかどうか判断します。しかしそれは情報の受け手の中でもごく一部です。大半の人はその数値の根拠にまで考えが及ばず、その数値のインパクトを受けて「ひどい」「許せない」「素晴らしい」などと感情を揺さぶられます。本文を読まずに見出しだけで判断する人もかなりいるので、数値を効果的に使って見出しをインパクトのあるものにすれば、それだけでも十分に大衆に影響を与えることができます。

その典型が発達障害の児童生徒が8・8％という情報です。その数字を割り出した調査方法のおかしさまで見抜ける人はほとんど存在せず、その数字だけがひたすら報道とネットで拡散されていくのです。

物事を数値化する「定量化」も、精神医療や心理学の分野でも良く使われる手法ですが要注意です。人の振る舞いや感情、心の働きなどは数値化が難しく、客観的な評価が困難です。しかし、適当な評価尺度を用いて点数化することもできます。

例えば、先ほどの75項目のチェックリストもその一つです。ある児童生徒について「過度にしゃべる」「気が散りやすい」という質問に対して、ない、もしくはほとんどない場合は0点、ときどきある場合は1点、しばしばある場合は2点、非常にしばしばある場合は3点と評価します。他にも、「大人びている、ませている」「独特な表情をしていることがある」という質問に対して、いいえの場合は0点、多少の場合は1点、はいの場合は2点と評価します。それで合計何点以上であれば発達障害の可能性があるなどと評価されてしまうのですが、これがいかに非科学的であるか理解できるかと思います。「過度」「独特」などは主観でしか判断できず、「ときどき」と「しばしば」と「非常に」の境界線も不明です。評価者の経験や視点、観察能力などに結果が大きく左右されるのは明らかです。そこから導かれた数値にどこまで科学的価値があるのでしょうか。

しかし、これはまだマシです。公開されている情報からある程度検証もできるからです。調査に使われた手法や質問項目に疑いがあるのなら、それを調べたら良いのです。一方、純粋な研究ではなく、最初から特定の結論に結び付けることを意図した報道や商業的宣伝のために、専門家の監修の下で調査が行われ、都合の良い数字が使われることがあります。このような場合、その目的に沿った結果が出るよう調査内容は恣意的に決められ、思うような結果にならなければ改変して再調査し、都合の良い結果のみを発表すれば良いのです。

特定の薬を製造販売する製薬会社が、その薬に適応のある病気の需要を作り出すというマーケティングの一環として、この種の調査を行うのはもはや風物詩と言ってもいいでしょう。以下に例を挙げます。

・《一般生活者600名の「社会不安障害（SAD）」に関する認識調査より》約7人に1人が「社会不安障害（SAD）」の可能性【明治製薬株式会社、2006年2月2日】
・約8人に1人がうつ病・うつ状態の可能性　ファイザー株式会社が行った12歳以上の一般生活者4000人を対象とするインターネット調査によると、約8人に1人がうつ病・うつ状態の可能性があることがわかった【ファイザー株式会社、2008年4月11日】
・うつ病に関する患者調査　～多様な症状に対する理解の不足により、相談が遅れる実態が浮き彫りに～　自分がうつ病になる可能性「思っていなかった」が約6割【日本イーライリリー株式会社、2017年2月24日】
・うつ傾向のある人の意識と行動に関する調査結果発表　精神的・身体的な不調の相談意向があるものの、身近なかかりつけ医に実際に相談している人は約1割【塩野義製薬株式会社　2017年5月17日】

このような調査にはしばしばチェックリストが用いられます。インターネットを通した自己記入式回答で精神疾患や発達障害など「診断」などできるはずもありませんが、○○病、○○

障害の「可能性」という表現で、まるでそれが有病率であるかのように人々に誤信させる点が悪質です。

この手の調査結果から導かれた数字を前面に出し、ここぞとばかりに専門家が早期発見・早期受診を促すようなコメントをするタイプの報道を見たら、まずはその数字と調査内容を疑うべきです。それは科学でも医学でもありません。特定の病気を売り出し、需要を作り出すというマーケティングです。純粋な啓発などではなく、過度な不安を生み出し、不必要な受診や治療という結果をもたらす役割を果たしています。すなわち精神医療ビジネスへの誘導であり、メンタルヘルスを悪化させる要素です。

## 客観的診断＝科学的に正しい診断ではない

精神疾患や発達障害の客観的診断の実用化は精神医療業界の夢です。それをテーマにした研究も多く、大学からのプレスリリースや、それを基にした報道によってそれらの成果が一般の人々に届けられます。その中には、客観的診断が可能になったと謳うものや、すぐにでも実用化できそうな期待を抱かせるものがあります。例えば以下のような見出しがあります。

・「うつ病を客観的に診断するための足がかり　光トポグラフィー検査の実力」（ダイヤモン

ド・オンライン、2011年8月24日）
・「『自閉症スペクトラム』の客観的な診断基準になるか　福井大学ら研究チームが発見した自閉症解明のヒント」（ダイヤモンド・オンライン、2014年6月19日）
・「統合失調症を判別する眼球運動特徴の発見―統合失調症の客観的補助診断法の開発に期待―」（大阪大学プレスリリース、2014年11月7日）
・「自治医科大　ADHDの客観的診断法の基礎を確立」（大学ジャーナルオンライン、2015年7月21日）
・「血液検査で『うつ病』を診断する時代へ　客観的な診断法としての期待高まる」（日経BP、2019年9月18日）
・「うつ病の客観的診断方法開発　広大などの研究グループ」（NHK広島NEWS WEB、2023年3月6日）

これらに共通して言えるのは、**表面上の手段が客観的という意味であって、必ずしも科学的に正しい診断という意味ではない**ということです。何らかの検査機器を使ったり、AIを利用したりすると、行動パターンや脳の働きをある程度可視化、数値化することは可能です。血液検査で特定の物質の濃度を測定することも容易です。それらは確かに客観的な数値などとして表すことが可能です。しかし一番重要なポイントをクリアしていないのです。その導かれた数値やパターン解析が、本当にその精神疾患や発達障害を「特定」するのに使えるかという点です。

そもそもですが、絶対的に正しい診断が存在しない以上、「正しい本物のうつ病患者」なるものも特定できません。つまり、とある客観的手法が出した結論が正解なのか不正解なのか誰にも評価できないのです。仕方がないので、人間が出した結果との一致率で評価するしかありません。もちろん、人間が出した結果が正しいと限らないので、一致率の高さがすなわち正しさというわけでもありません。

そのため、このような客観的手法による診断システムが実用化されたとしても、あくまでも診断補助としてしか使用できず、単独で診断できるようなものではありません。ところが、一部の精神科医療機関が、あたかも客観的で正確な診断ができると患者を誤信させるような宣伝文句で検査機器を用いた安易な診断をするようになっています。

日本精神神経学会は厚生労働省宛ての「光トポグラフィー（近赤外線分光法：Near Infrared Spectroscopy: NIRS）の保険対象疾患の精神疾患への適応拡大の要望書」（２０１３年7月21日）において、このように述べています。

「しかし、言うまでもなく、精神科診断の補助的な検査であり、これだけで診断できるような誤解をもって診療にあたることは精神医学の質を著しく低下させることになるので、回避しなければならず、また、先進医療会議での評価が最終的には定まってはいない現状でもあるので、保険適応にあたってはあくまでも補助的な診断法としての位置づけを変更することなく、施設基準、実施要項を厳密に規定し、講習会への参加を義務づけるなどの慎重な運用が求められる」

ちなみに、光トポグラフィーや脳波検査を安易な診断手段として用いている特定の精神科医療機関では、発達障害に有効と宣伝するなどしてｒＴＭＳ（反復経頭蓋磁気刺激装置）が安易に使用されており、精神医療界隈では問題になっています。同学会はよほど腹に据えかねたのか、２０２０年9月19日に以下のような注意喚起文も出しています。

ｒＴＭＳ（反復経頭蓋磁気刺激装置）の適正使用について【注意喚起】

２０２０年9月19日
公益社団法人日本精神神経学会
理事長　神庭　重信

当学会では、ｒＴＭＳ（反復経頭蓋磁気刺激装置）に関する適正使用指針を発表しております。

それには「対象疾患は、既存の抗うつ薬による十分な薬物療法によっても、期待される治療効果が認められない中等症以上の成人（18歳以上）のうつ病」と示されています。

ｒＴＭＳ治療は、抗うつ薬による十分な薬物療法によっても、期待された治療効果が得られない成人患者（18歳以上）にのみ、慎重に実施されるべきです。

18歳未満の若年者への安全性は確認されておらず、子どもの脳の発達に与える影響等は不明です。

発達障害圏の疾患（自閉症、ＡＤＨＤ、アスペルガー障害など）やそれに関連する症状、あるいは不安解消や集中力や記憶力の増進などに対する効果は、海外においても確認されていません。

なお、適正使用指針に示された条件を満たす施設におけるｒＴＭＳ治療には、健康保険による診療が認められています。各施設のホームページ等でご確認ください。

ｒＴＭＳの性能が安全かつ効果的に発揮されるためには、適正な使用が不可欠です。適正使用指針の内容を遵守の上で使用されるよう、ご理解のほどよろしくお願いいたします。

## 治験の不正

治験段階で不正があった場合、承認された薬の有効性や安全性に疑いが生じます。米国では、抗うつ薬に関する悪質な副作用隠蔽が問題となりました。２００４年6月に米国ニューヨーク州司法長官が、小児のうつに対する抗うつ薬パキシルの臨床試験で自殺企図の副作用を隠蔽し医師の正しい判断を妨げたとして、製造販売元の英国系製薬大手グラクソ・スミスクライン（以下ＧＳＫ）社を提訴しました(＊)。

ＧＳＫ社は、小児のうつ病に効果がないばかりか、10代に自殺を増加させるリスクがあることを示す研究結果を隠蔽する一方で、パキシルが思春期のうつ病にすぐれた有効性と安全性があるという宣伝を医師に積極的に行いました。英国やカナダでは、パキシルが小児や思春期の若者たちに有効性はなく、自殺のリスクを増加させることを認めた後も、米国の医師たちには引き続き宣伝を続けていました。２００２年には、小児と思春期の若者へのパキシル処方は米国だけでも２００万件以上になり、ＧＳＫ社に５５００万ドルをもたらしました。それは虚偽の情報で得た利益であり、ニューヨーク州の分を差し出すべきだというのが司法長官の言い分

＊　薬害オンブズパースン会議「米国ニューヨーク州当局がパキシルの情報操作でＧＳＫ社を提訴」２００４年7月12日
https://www.yakugai.gr.jp/attention/attention.php?id=29

でした。

その後、GSK社は臨床試験データを公開するなどの条件の下、250万ドルを解決金として支払うことで和解しました。しかし、米司法省からもパキシルを巡る違法な販売促進を咎められ、2012年7月2日、GSK社は30億ドルの和解金を支払うことで最終合意したと、日本経済新聞なども報じました（パキシル以外の問題も含む）。当時、医療関連訴訟の和解金としては米史上最大で、単独の製薬会社による支払額としても最高額でした。

さすがは米国、悪質さも利益の大きさも罰金の巨額さも全てスケールが違うと思わされます。一方、日本ではこのような問題は起きていないのでしょうか。

治験を巡る不正は時折ニュースになります。例えば、2023年10月17日には厚生労働省が「株式会社メディファーマによるGCP違反について」という報道発表を出して医薬品業界に衝撃を与えました。同社は治験施設支援機関であり、治験施設（医療機関）と契約し、GCP（臨床試験の実施の基準）に基づき適正で円滑な治験が実施できるよう、医療機関において治験業務を支援する会社です。ところが、厚生労働省の検査の結果、データ改ざんなど123件の違反行為が発覚しました。同社は複数の大手製薬メーカーと取引があり、ホームページ上で「呼吸器内科、精神科、皮膚科、生活習慣病関連の治験を得意とし、高水準な治験実施体制を整えています。」と誇っています。すでに販売されているなどの製品の治験に不正があったのかは明らかにされず、厚生労働省も現時点で健康被害などの報告はないと強調していますが、医薬品への信頼を根底から覆す不祥事です。

これは治験施設支援機関の不正でしたが、治験を実施する医療機関での不祥事も多々あります。そのなかでも、精神科で起きた具体的な事例を紹介します。

・1997年1月、奈良県立医科大精神科の岸本年史教授が、アルツハイマー病の新薬の治験をした際、治験の実施契約施設外である特別養護老人ホームで実施していたことが発覚した。同ホームは岸本教授の父親が経営し、必要なインフォームドコンセントも得ないまま実施していたことも発覚した。

・2001年8月、京阪病院（大阪府守口市）が、うつ病新薬の治験中に強制入院となった患者に対し、入院後も3日間は治療をしないまま治験を続けていたことが発覚した。この新薬の治験計画書は、重い有害事象で投与継続が困難、そう状態に変わった場合などを治験中止基準としていた。

・2017年2月、聖マリアンナ医科大学は、神経精神科臨床試験における不適切事案について、調査委員会の結果を公表した。統合失調症の認知機能障害に対して2種類の抗精神病薬をランダム化して投与する比較試験が神経精神科准教授によって2009年より実施されていたが、2015年に同大学で精神保健指定医の不正取得問題が発覚したことを受け、不信感を抱いた被験者が同大学に情報開示請求等をする中で、様々な捏造や違反行為が発覚していた。

いずれも患者の人権に関わる悪質な事例です。聖マリアンナ医科大学の件では、同研究は中止されたものの、一部データを用いてすでに作成された論文がありました。その論文は、准教授が執筆者として加わった日本神経精神薬理学会の「統合失調症薬物治療ガイドライン」の中で、参考文献として挙げられていました。

## 否定的な結果は公表されにくい「バイアス」

お見合い写真であれ、SNSのプロフィール写真であれ、履歴書に貼る写真であれ、できるだけ好印象を持ってもらうために一番見栄えの良い写真を選ぶのが人情です。なかには何百枚、何千枚と撮影し、奇跡的に良く撮れた、いわゆる「奇跡の一枚」を選ぶ人もいます。ただ、あまりにも見栄えが良過ぎて現実の姿と乖離していた場合、会った際に幻滅されるというリスクもあります。

奇跡の一枚の背後には大量のボツ写真があるように、SNSにアップされた、技をキメるかっこいい動画の背後には涙ぐましい数の失敗動画があったりします。世の中には、たまたまうまくいったものだけが公表されることがあります。公表された情報だけでは、常にその素晴らしいパフォーマンスを発揮する実力があるかのように見えます。これは、上側にランダム変動した結果だけを切り取っているようなものです。

本当は合格する実力がなくても、何十回と資格試験を受けたら、たまたま選択問題の回答がことごとく正解して合格してしまうことも起こり得ます。運も実力のうちとは言いますが、その後大変な思いをするかどうかは本人次第でしょう。

さて、もしもそれが薬の臨床試験であったらいかがでしょうか。奇跡の一枚を使おうが、運で資格試験に合格しようが、それは主に個人の問題です。しかし、多くの人に影響を与える臨床試験の場合、たまたまうまくいったというノリで承認されてしまっても良いものでしょうか。これを示唆するのは「公表バイアス」という言葉です。

公表バイアスとは、肯定的な結果に比べ、否定的な結果は公表されにくいというバイアス（偏り、偏見）を意味します。研究の結果が、当初の想定や期待と違ってしまうことは珍しくありません。研究者やそのスポンサーにとっては都合の悪い結果になってしまうかもしれません。好ましい研究成果は胸を張って論文として公表したくなる一方、好ましくない結果は論文化しづらい心理はよく理解できます。

同様のテーマの複数の研究（主に公表された論文）をまとめて解析する手法をメタ解析（メタアナリシス）と呼び、その結果はより質の高いエビデンスとみなされます。しかし、公表バイアスが働いた場合、メタ解析の結果は歪められてしまいます。解析すべき対象が隠蔽されてしまっているからです。

精神医療ビジネスの実態を知る上で、この公表バイアスの話題は避けて通れません。実際には効果がほとんどないものやむしろ有害ですらあるものを、優れた効果があるように見せかける手法が、精神医療ビジネスの基本です。その詐欺的な手法によってまるで魔法の薬であるかのように神格化されていたのが新世代抗うつ薬なのです。

国内の話ではありませんが、米国では２００１年に抗うつ薬パキシルの副作用について患者団体が提訴しました。その過程で、グラクソ・スミスクライン社が臨床試験のデータを意図的に隠蔽している疑いが強まりました。２００４年には臨床試験データの隠匿の疑いでも提訴しました。

その流れで、12種類の抗うつ薬に関するＦＤＡ（米国食品医薬品局）の審査報告書を検証する研究が行われました。その研究が明らかにしたのは、ポジティブと審査された試験は38あり、そのうち37試験が論文として公表されていた一方で、ネガティブと審査された24試験のうち、わずか3試験のみしか（審査報告書と一貫した結論で）公表されていませんでした(*)。

このような経緯から、公表バイアスが生じないよう、臨床試験を行う際には臨床試験登録データベースに登録するという流れになりました（日本では２００５年から対応）。そのきっかけとなったのが抗うつ薬を巡る臨床試験データ隠蔽であったことは知っておくべきでしょう。

新世代抗うつ薬が、巷で信じられているような「著効」する魔法の薬ではなかったことがそもそもの問題です。もし本当に魔法の薬だとしたら、堂々とプラセボ（偽薬）に対して圧倒的な差を付ける結果を出し、文句なく承認されるだけの話です。一般の人々は、薬が承認されたのなら、薬の方がプラセボと比較して十分な差を付けたのだろうと考えるかもしれません。しかし、現実は、ほとんど差がないレベルなのです。だからこそ、あの手この手を使う必要が生じ、公表バイアスという形で現れたのです。

## 抗うつ薬の効果を過大評価

診断や治療に疑問を呈する患者に対し、高圧的な態度で否定し、黙らせようとする精神科医は無数に存在します。今までは診察室の中という限定された空間での話であったため、そのような精神科医は一般には可視化されなかったのですが、最近はYouTubeやＳＮＳで情報を発信する精神科医も増えてきました。特に、匿名性の高いX（旧Twitter）ではその傲慢さを隠そうともせず、言いたい放題の精神科医が目立ちます。

このような精神科医は、本質を突かれた場合に面白い反応を示します。その指摘された内容

＊　Turner, et al. Selective Publication of Antidepressant Trials and Its Influence on Apparent Efficacy. New England Journal of Medicine. 2008.
https://www.nejm.org/doi/full/10.1056/nEJMsa065779

に対して反論するのではなく、レッテルを貼って個人攻撃します。自分の権威を誇示し、素人が口出しするなと黙らせようとします。さもなければ、大上段で論文やガイドラインを持ち出してエビデンスを振りかざし、相手がいかに無知で非科学的で視野が狭いのかひたすら説いていきます。

しかし、エビデンスを「絶対的に正しいと証明された事実」のように用いるのは誤りです。確かにエビデンスがないよりある方がはるかに良いですし、エビデンスの中でも序列があり、より信頼性の高いエビデンスが、より科学的でより事実に近いと言えます。しかし、それでもエビデンスが後の研究によって覆ってしまうことは避けられません（１００件のエビデンスのうち23件が2年以内に覆されるという研究もある(*)）。客観的な観察や評価が可能な身体医学ですらそうであれば、それらが困難である精神医学の分野では、はたしてどこまで臨床研究やそれが示すエビデンスに信頼を置いていいのでしょうか。

例えば、信頼に値すると思われていた研究自体にミスや不正があったと後に発覚し、当初の結果から大幅に修正されることもあります。そうなってしまうと、その研究を根拠にして作成された様々な論文やガイドラインにまで影響が出てしまいます。

典型的な例を一つ挙げます。それは、Sequenced Treatment Alternatives to Relieve Depression 試験、通称ＳＴＡＲ＊Ｄ試験と呼ばれるものです。これは、うつ病（major depressive disorder：大うつ病性障害）と診断された患者に対するうつ病治療の有効性について評価することを目的に実施されました。初期治療に反応しなかったうつ病患者に対し、どのような治療が有効であるかを検討したという点が特徴です。米国のＮＩＭＨ（国立精神保健研究所）が主導し、全米41の施設で４０４１人の患者を対象に実施され、２００６年にその結果が報告されました。(**)研究の結果、うつ病が最初の抗うつ薬治療（ステップ１）で寛解したのは3分の1程度（36・８％）であり、抗うつ薬を変更したり追加したり、認知療法と併用したりすることで、ステップ４に至るまでに約3分の2が良くなった（ステップ1～4までの1年の間に一度でも寛解したことがある参加者の累積値である累積寛解率は67％）と発表されていました。

この試験は「うつ病治療を評価するためにこれまでに行われた最大かつ最長の研究」であり、机上ではなく現実の患者を対象に実施されたということで高く評価されました。世界中で様々な論文やガイドラインに引用されました。日本うつ病学会が作成した「日本うつ病学会治療ガイドライン　Ⅱ．うつ病（ＤＳＭ－５）／大うつ病性障害」においても、複数箇所で引用されています。

この累積寛解率67％という数字は、薬物治療の有効率が約70％だという文脈で使われまし

＊　Shojania KG, Samson M, Ansari MT, Doucette S, Moher D. How quickly do systematic reviews go out of date? A survival analysis. Ann Intern Med 147 : 224-233, 2007.

＊＊　National Institute of Mental Health. Sequenced Treatment Alternatives to Relieve Depression (STAR*D) Study. 2006.
https://www.nimh.nih.gov/funding/clinical-research/practical/stard

た。もしそうだとしたらプラセボと比較しても十分であるため、抗うつ薬を用いた治療には希望があるように見えました。NIMHは「最大4段階の治療ステップを経て、12か月の終わりには参加者の約70％が寛解した(*)」と発表しました。

これではまるで、研究に参加した4041人の患者のうち70％が回復し、良好な状態を維持しているかのように受け取れますが、現実はまったく違いました。結論から言うと、研究に参加した4041人の患者のうち、寛解してその後良好な状態を保ち、研究を最後まで継続したのは**わずか108人（3％）でした。**あとの大半は脱落か再発していたのです。

報告書では、この都合の悪い結果について言及されませんでした。この研究に不信感を抱いた研究者らは、研究の手順（プロトコル）にも不正があったことを発見しました。再解析された結果、累積寛解率は約半分の35％にまで低下しました。再解析された結果、最初の抗うつ薬治療（step1）で良くなるのは25・5％でした(**)。

そもそも、良くなったというのはあくまでも「寛解」であって治癒ではないことに注意する必要があります。「寛解」とは、症状が抑えられて出ていない状態を指します。完全に治り、もはや服薬も一切の治療も必要なくなったという「治癒」とはほど遠い状態です。しかも、その寛解すらも一時的であって維持できていないことは明らかでした。

もしも、4段階の治療ステップを経ても寛解したのは35％だけであり、寛解したのは1年後の時点でわずか3％だけであったとSTAR＊Dの結果が正確に報告されていたらどうなっていたのでしょうか。今や米国では8人に1人が抗うつ薬を服用していますが、正確な報告があれば抗うつ薬への過度な依存と幻想から目が覚めていたかもしれません。日本でも、うつ病治療ガイドラインの内容が変わっていたでしょう。

ＳＴＡＲ＊Ｄ試験への批判は日に日に高まりつつあり、様々な専門家が批判に加わってきていますが、それでもいまだに研究責任者らは不正を認めず、報告書は撤回されていません。もし撤回した場合、築き上げた「薬物治療の有効率が約70％」というイメージのウソが暴かれ、逆に薬物治療に効果がないことの証明となり、精神医療業界全体が信用を失うことになります。ですからそう簡単に認めることはできないでしょう。しかし、精神医療ビジネスの実態は確実に暴かれてきています。

ウソを隠し続けるにはウソを重ねる必要が生じるため、さらなるエネルギーが必要となります。精神医療ビジネスは、その規模をひたすら大きくすることでそのウソを覆い隠して来ました。しかし、そろそろ限界がやってきたようです。

＊ National Institute of Mental Health. Questions and Answers about the NIMH Sequenced Treatment Alternatives to Relieve Depression (STAR*D) Study — All Medication Levels. November,2006
https://www.nimh.nih.gov/funding/clinical-research/practical/stard/allmedicationlevels

＊＊ Robert Whitaker.The STAR*D Scandal: Scientific Misconduct on a Grand Scale.September 9, 2023
https://www.madinamerica.com/2023/09/the-stard-scandal-scientific-misconduct-on-a-grand-scale/

## 精神疾患や発達障害が「治る」ことはあり得る

精神医療業界で見られる最もおかしな反応の一つは、**治ったら困る**というものです。それは、完治した人や完治させた人への執拗な攻撃という形で表れます。もしも精神疾患や発達障害と診断された人が「治った」などと言おうものなら、通常の精神科医は「あり得ない」と猛烈に否定します。「病識がないだけだ」「一時的にそう見えるだけだ」「ウソつきだ」とありとあらゆる言い方で、本人の認識が誤っていると決め付けて正そうとします。

薬がなかった時代でも、薬物治療が広がっていない発展途上国においても、統合失調症やうつ病などの精神疾患から自然回復する例は珍しくないのが事実です。ですから、薬を飲み続けていなくても治癒することはあり得る話です。しかし、絶対に彼らはそれを認めようとしません。症状が完全に消失していることを認めざるを得なくなったら、「元の診断がおかしかった」「治ったということは、あなたは精神疾患（発達障害）ではなかった」と言い出します。

完治させたと主張する人に対する攻撃はもっと苛烈になります。ほぼ例外なく「インチキだ！」と糾弾します。精神疾患や発達障害が治ることなどあり得ない、ゆえにそれを治したと主張する奴は100％詐欺師だ、という論法です。特に、主流の精神科治療（＝薬物治療）以外の方法で治したと主張する相手には「偽医学」とレッテルを貼ります。

発達障害は脳の先天的な障害だから治るはずがないと主張する人もいますが、現実には発達障害（ＡＤＨＤ、ＡＳＤなど）と診断された人が治ることは十分にあり得ることです。なぜならば、発達障害診断とは、脳の先天的な障害があると証明され、それを根拠に診断されるものではないからです。ＡＤＨＤと診断されていた幼児が、成長に伴って落ち着くようになり、症状が完全に消失することも普通に見られることです。しかし、そのような現実を完全に無視し、治った人や治した人をひたすら攻撃する人がいます。

実際にインチキもあり、まっとうで耳を傾けるべき批判もあるため、批判はすべておかしいとは言いません。しかし、何かを見透かされたような態度で、過剰に反応して強迫的に誰かを批判するような人は、大抵の場合自分自身に問題を抱えています。まさに自分がやっていることで相手を批判します。「詐欺師」「インチキ」「ウソつき」「金の亡者」というレッテルは、実は相手ではなく自分自身に当てはまっていたりするのです。

常に人を騙そうと考えている詐欺師は、他人を信じることができません。なぜならば、自分を基準に考えるからです。他の人も自分と同じく、絶対に騙したり裏切ったりするはずだと考えるのです。そのため、他人の好意や善行、良い成果に対しても、必ず裏に何かあるはずだと考えて素直に評価できないのです。生粋の詐欺師ではなかったとしても、詐欺的な精神医療ビジネスに加担してしまったら、自分は間違ってなかったと正当化し続けないといけなくなり、それゆえに本質を突いてくる人々に過剰に反応してしまいます。

実は、第5章で述べるように、ＷＨＯも認める効果のあるメンタルヘルスの実践はすでにあ

ります。それが広がらないのは、既得権を含め、「治ったら困る人」がその普及を妨げている
に過ぎません。

# 第5章　どのように精神医療ビジネスに立ち向かうべきか

## WHOによるメンタルヘルスのパラダイムシフト

本書の原稿の大半を書き終えていた2023年10月9日、歴史の転換点となる画期的な発表がありました。それは、WHO（世界保健機関）と国連人権高等弁務官事務所が共同で作成した「メンタルヘルス、人権、法律：ガイダンスと実践」(*)（以下ガイダンス）です。

それは非常に衝撃的でした。将来、この発表はメンタルヘルスの歴史を変えた分岐点として未来永劫語り継がれるだろうと思わされるほどです。確かに、国連は数年前から同様の主張を度々発表してきましたが、「あの」WHOがここまで本格的かつ具体的に踏み込んで、世界各国に対してメンタルヘルスの法整備をするように求めるようになるとは思いもしませんでした。

精神医療ビジネスが社会の隅々まで浸透しているこの日本では、社会構造そのものを変えるくらいのインパクトがなければ、国民の意識はいつまでも変わらず、精神医療ビジネスを排除する方向には進みません。本書を執筆する中で、精神医療ビジネスの実態について調べれば調べるほど暗澹たる気持ちになっていた私にとって、このガイダンスは一筋の光明になりました。

これは、まさにメンタルヘルスのパラダイムシフト（その時代に当然と考えられていた物の見方や考え方が劇的に変化すること）と呼ぶべきものです。重要なキーワードは「生物医学的モデ

ル」と「人権に基づくアプローチ」です。以下、ガイダンスの用語解説から引用します。（以下、引用箇所は著者翻訳）

・生物医学的モデル（biomedical model）
メンタルヘルスの生物医学的モデルは、精神的問題は神経生物学的要因によって引き起こされるという概念に基づいています。その結果、メンタルヘルスに影響を与える可能性のある社会的要因や環境的要因をすべて考慮するのではなく、診断、投薬、症状の軽減に重点を置くケアがしばしばなされます。これは、苦痛やトラウマの根本原因に対処できない、狭量なケアとサポートにつながり得るものです。

・人権に基づくアプローチ（human rights-based approach）
国際人権法に基づいて人権の促進と保護を目的とする、プロセスと行動の概念的な枠組み。メンタルヘルスに対する人権に基づくアプローチには、国際人権法に基づく国家の義務と矛盾しない実践を実施するだけでなく、法的および政策の枠組みを採用することが伴います。これは、すべての関係者や政策立案者、市民団体、地域団体、草の根活

＊　WHO「Mental health, human rights and legislation Guidance and practice」２０２３年10月９日
https://iris.who.int/bitstream/handle/10665/373126/9789240080737-eng.pdf?sequence=1

動団体の参加を確保することにより、また必要に応じて、救済と結果責任を果たす手段を確保することにより、すべての政府および非政府関係者が不平等と差別を特定、分析、対処し、取り残された人々に手を差し伸べられるように設計されています。

そして、このガイダンスの「導入」を読めば、これがどういう目的で作られ、何を実現しようとしているのかがわかるので、その部分を引用します。

メンタルヘルスは公衆衛生上の優先事項としてますます高まっており、人権上の義務となっています。その結果、メンタルヘルス関連の法律を導入または改正する国が増えています。既存の法律は、メンタルヘルスに影響を与える社会的および経済的要因に対処できていないことが多く、その結果、精神医療現場などにおいて、法的能力の否定や強制行為、施設への収容、質の低いケアといった差別や人権侵害が永続し得るものとなっています。

これに応じて、世界保健機関（ＷＨＯ）および国連人権高等弁務官事務所（ＯＨＣＨＲ）をはじめとする国際的な関係者は、メンタルヘルスに対する人権アプローチを積極的に提唱しています。国際的な人権の枠組み、特に障害者権利条約（ＣＲＰＤ）は、生物医学的アプローチから、人格、自律性、地域社会の包摂を促進する支援パラダイムへの大幅な移行を求めています。

このWHOとOHCHRの共同出版物『メンタルヘルス、人権、法律：ガイダンスと実践』（以下「ガイダンス」）は、各国がメンタルヘルス関連の法律を採択、修正、または施行するのを支援することを目的としています。その目的は、メンタルヘルス政策、システム、サービス、およびプログラムが、CRPDを含む国際的な人権の基準に沿って、すべての人に質の高いケアとサポートを提供することを保証することです。このガイダンスは、メンタルヘルスに特化した法律の導入ではなく、メンタルヘルスを一般的な法律に統合することを奨励しています。

このガイダンスは、メンタルヘルスの立法やケアに携わる議員、政策立案者、専門家を対象としています。また、国連機関などの関連分野で働く人々や政府職員、精神的問題および心理社会的障害を抱える当事者、専門団体、家族、市民団体、障害者団体、人道支援活動家、地域団体、信仰に基づく団体、研究者、学者、メディアの代表者などにとっても役に立つかもしれません。

まさにこれは日本に特化して作られたのではないかと思わせられる内容です。現在、日本ではメンタルヘルスに関連する主な法律として「精神保健及び精神障害者福祉に関する法律」（精神保健福祉法）がありますが、前述したとおり1950年という古い時代に差別的価値観に基づいて作られた背景があり、同法に基づいた様々な施策が精神障害者に対する「法的能力の否定や強制行為、施設への収容、質の低いケアといった差別や人権侵害」を引き起こし得るどころか、合法化して積極的に推奨しているのです。当然、それこそが精神医療ビジネスが広がる土壌を作り出しているのです。ガイダンスは「第1章　メンタルヘルスに関する法律の再考」でさらに厳しい点を突いています。

メンタルヘルスと幸福は、貧困、暴力、差別と同様に、社会的、経済的、物理的環境と強く関連しています。しかし、ほとんどのメンタルヘルスシステムは、診断、投薬、症状の軽減に焦点を当てており、人々のメンタルヘルスに影響を与える社会的決定要因を無視しています。

メンタルヘルスケアやサポートを求める際に、あまりにも多くの人が差別や人権侵害を経験しています。人種、性別、性的指向、年齢、障害、社会的地位を理由にケアを拒否される人もいます。また、安全な水や基本的な衛生設備がないまま、質の悪いサービスや非人間的な生活環境にさらされたり、非人間的で品位を傷つけるような扱いを受けたりしている人もいます。非自発的な入院と治療、隔離または独房、拘束の使用も、ほとんどのメンタルヘルスシステムで蔓延しています。女性、少女、および多様な性的指向、性同一性、性表現および性的特徴（SOGIESC）を持つ人々は、強制不妊手術、強制中絶、転換療法などの有害な慣行にさらに直面する可能性があります。メンタルヘルス制度によって引き起こされる広範な人権侵害と被害は、多くの個人やコミュニティに影響を与え、世代を超えてトラウマの遺産を生み出しています。

過去150年間、メンタルヘルスに関する法律はこれらの人権侵害を正当化し、場合によっては促進してきました。初期の法律はパターナリズムと、精神的健康状態や心理社会的障害を持つ人々は「危険」であるという概念を強化しました。既存の精神保健法は人権に重大な影響を及ぼしており、多くの場合時代遅れであり、人権に対する理解が狭く、還元主義的な生物医学モデルに依存しています。ほとんどの国の単独の法律には、非自発的な関与や強制的な治療、拘束、隔離などを通じて権利を制限する規定が含まれています。

さらに、精神保健法はしばしば権力構造を強化し、疎外された人々への抑圧をもたらします。障害者権利条約（ＣＲＰＤ）の採択により、人権の観点からメンタルヘルスに関する法律を見直すことに新たな関心が集まっているが、ほとんどの国は長年にわたる生物医学的アプローチや強制的な治療権限に異議を唱えていない。

（中略）

したがって、メンタルヘルスに関する法律は、メンタルヘルスサービスにおける強制的で閉鎖的な環境の一因となってきた狭い伝統的な「生物医学パラダイム」から新たな方向を向かなければなりません。

いかがでしょうか。とにかく生物医学的モデルからの脱却が強く推されていることがわかります。他の国でも同様の問題を抱えていることがわかりますが、もっぱら日本に向けられたようなメッセージです。実際、日本の精神医療は、研究レベルはともかく、少なくとも実践レベルでは99％以上が生物医学的モデルに基づいています。いまだ根拠を示せない、脳の器質的あるいは機能的異常という説明をしつつ、根拠に乏しい操作的診断手法によって診断を下し、社会的決定要因をほぼ無視し、ひたすら投薬と症状の軽減に特化した治療を施すというパターンが主流です。そして、そのような治療をしないと経営が成り立たない保険診療の体系になっています。

精神医療ビジネスもすべて生物医学的モデルに基づいています。ですから、**生物医学的モデルからの脱却は、イコール精神医療ビジネスからの脱却になるのです**。そして、人権に基づいたメンタルヘルスのアプローチは、悪質なサービスと破壊的な結果をもたらす精神医療ビジネスと対極にあります。

## 精神医学は天動説から脱却できるのか

どんな研究も理論も学問も、その土台となっている前提が崩れた場合、積み上げてきたもの全てが崩れてしまいます。その場合、新しい土台を基にして作り直していくしかありません。わかりやすい例が天動説から地動説へシフトした天文学です。

現代精神医学（特に生物学的精神医学に依拠した主流の精神医学）は同様の岐路に立っています。前提となっていた生物学的な根拠が崩れつつあるからです。天動説のように完全否定されたというわけではありませんが、150年以上研究を進めながら、何一つとしてその前提の正しさを証明できていないのです。それどころか、その前提に基づいた実践がことごとく失敗し、結果を出すどころか状況を悪化させてきたのです。

近年は、脳の状態や働きを検査、測定する技術が高まる中、精神疾患や発達障害を引き起こす主原因となる脳や遺伝子のエラーが必ず見つかるはずだと、世界中の精神科医が研究を重ねてきました。米国では、1990年代を「Decade of the Brain（脳の10年）」と定めて脳研究を国全体で推し進めましたが、やはり決定的な原因は見つかりませんでした。日本においても、2017年7月に日本学術会議が「精神・神経疾患治療法開発のための産官学連携のあり方に関する提言」を提案し、2018年5月に日本精神神経学会や日本生物学的精神医学会などの12の精神医学関連学会が「精神疾患の克服と障害支援にむけた研究推進の提言」を共同で発表するなどし、ひたすら脳画像研究やゲノム研究、治療薬研究が進められてきましたが、やはり目覚ましい成果は上げていません。

12の精神医学会関連学会は、2023年4月に改めて同じ表題の提言を発表しています。「近年では、アメリカ精神医学会も精神疾患の発症に関与する社会的な環境、いわゆる社会的決定要因の重要性に言及している」と述べているものの、「精神疾患は、脳という極めて複雑で人において高度に進化を遂げた臓器に生じる疾患である」（2018年提言）という基本となる前提は変わることなく研究が進められています。

歴史を振り返ると、日本の精神医学は初期の頃から生物学的精神医学に傾倒していたことがわかります（**図21**）。日本の精神医学は、現代精神医学発祥の地であるドイツから直輸入されています。東京大学精神医学教室の歴代教授がドイツに留学し、持ち帰った精神医学が各地の大学医学部へと広がっていきました。

エミール・クレペリンや彼から学んだ呉秀三は、必ずしも生物学的な側面のみに重点を置いたわけではありませんが、それぞれの後継者は極端なまで脳や遺伝子に固執するようになりました。

信念を持つことは素晴らしいことです。結果が出なくても、それでも将来必ず結果が出るはずだと自分を信じ、ひたすら研究に没頭する姿勢は尊敬に値します。しかし、その証明しようとしている仮説に固執するあまり、その仮説の矛盾や、仮説に依拠した実践がもたらしている

図21　ドイツ及び日本の精神医学の中心人物がもたらした影響

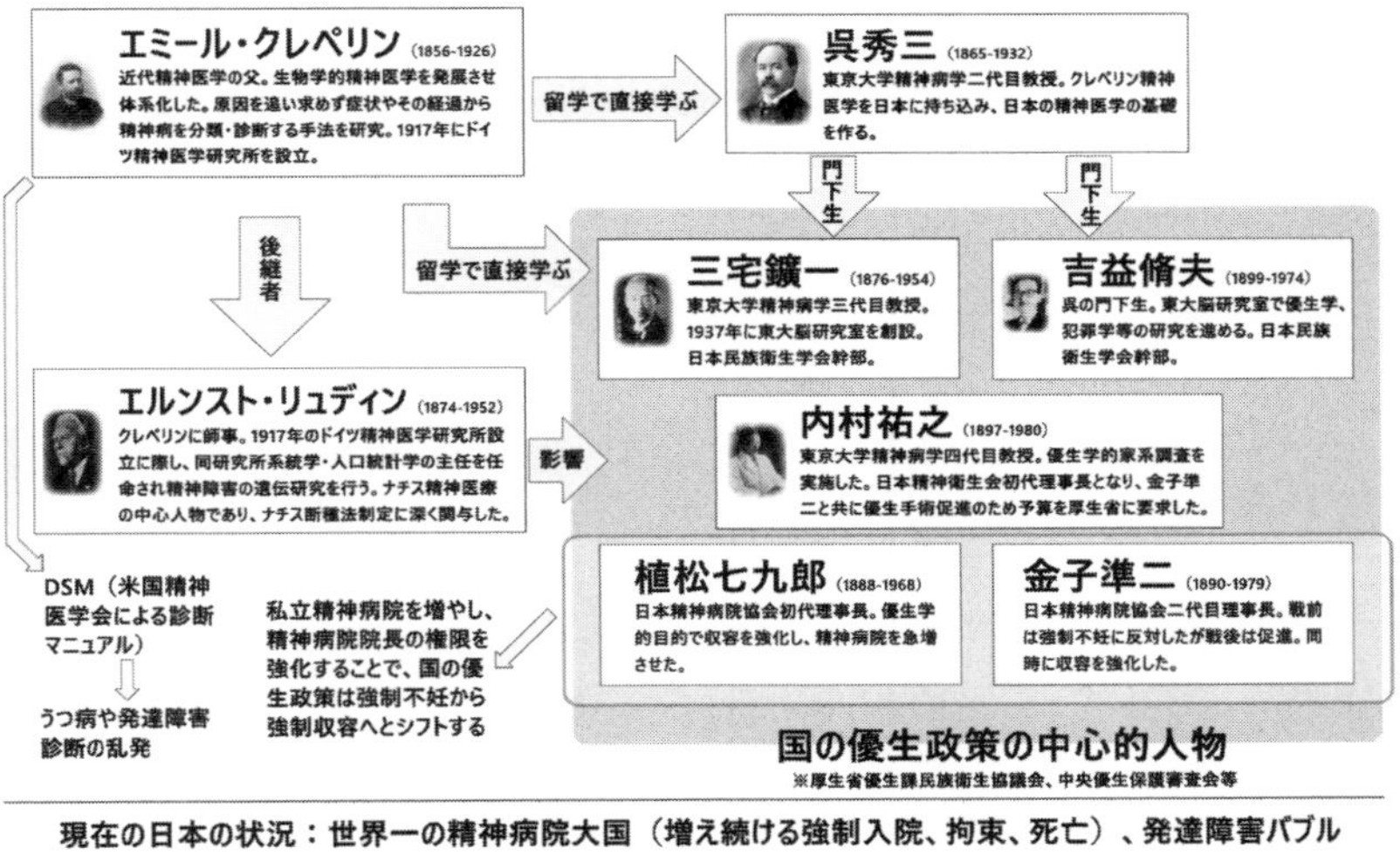


弊害を無視するようになるのは危険です。天動説を否定する人を火あぶりにしたように、生物学的精神医学の前提となる仮説を疑問視する人々をひたすら攻撃する人もいます。

結局のところ、生物医学的モデルが正しいのか、間違っているのか決着はついていません。しかし、**生物医学的モデルに固執した実践が様々な弊害を生み出してきた事実はもはや否定できなくなっています。**むしろそこから脱却したアプローチが成果を上げている事実が段々と積み重なっています。いつまでも根拠も結果も出せない生物医学的モデルをついに見限り、思い切ってそこからの脱却をはかったのがこのガイダンスというわけなのです。

生物医学的モデルはさながら天動説のようです。精神医学はそこに決別するのか、それともそこに固執し続けるのでしょうか。このガイダンスが発表されたことについて、精神医学の専門家や専門学会はどのような反応を示しているのでしょうか。確認するため、日本の生物学的精神医学の中心となっている日本生物学的精神医学会に対し、私は公開質問状を送ってみました。（222~223ページ参照）質問状を送って1か月が経過した2023年11月25日現在、回答はありませんでした。回答する義務はないので、回答できないのか回答する価値もないと判断したのかはわかりません。ただ、無視をしても問題ないと判断したのは間違いないでしょう。

さて、生物医学的モデルに基づく精神医療へ疑問を持つ人々の声を、彼らはいつまで無視したり抑えたりすることができるでしょうか。

## 真のメンタルヘルスを実現するために

このガイダンスから読み取れるエッセンスは、人が人として扱われないから悪化し、人が人として扱われるから回復しているので、人を人として扱うケアを確保するために法整備をしようというものです。

ごく当たり前のことに思えますが、日本の精神医療関係者は確実に拒絶反応を起こすでしょう。あまりにも日本の現場の状況とかけ離れているからです。彼らがこのガイダンスを読んだときの反応は容易に想像できます。「こんなのは理想論であってあまりにも非現実的だ！」「日本の状況に全くそぐわないから意味がない！」『強制治療を全否定されたら何もできない！』『現場の大変さを知らない連中の綺麗事に過ぎない！』「一方的な正義を押し付けるな！」…このような怒りを伴った困惑を示すことでしょう。

確かに、世の中は欺瞞に溢れています。安全な地点にいるほぼ無関係な連中が、現場の大変さも知らないで一方的な正義を押し付け、正論や綺麗事をのたまうという構図は至るところで見られます。しかし、このガイダンスは決してそのような類のものではありません。なぜならば、**すでにそのような現場の反発を乗り越えた集大成だからです**。

単科精神科病院をなくしたイタリア、非自発的な入院や治療を認めず、隔離や拘束なども禁止としたメキシコ、電気けいれん療法を禁止したルクセンブルクやスロベニア、後見人制度などの代理意思決定制度を廃止したコロンビアやコスタリカ、ジョージア、スペイン、ペルーなど、様々な国でどのような経緯で法整備が進められたのか十分に研究された上でこのガイダンスが策定されているのです。

旧態依然の生物医学的モデルに基づくアプローチと、人権に基づくアプローチの違いを非常に端的に表現すると、**「人から責任を奪うか与えるか」**となります。前者は精神科患者の自己決定能力を否定します。それゆえに強制治療は正当化され、インフォームドコンセントを形骸化させるのです。その全く逆方向のアプローチが後者です。人の自主性を尊重し、インフォー

令和5年10月25日

**日本生物学的精神医学会**
**理事長　加藤　忠史　様**

市民の人権擁護の会日本支部
代表世話役　米田 倫康
支部長　小倉　謙
東京都新宿区西新宿7-22-31-711
Tel 03―4578―7581
info@cchrjapan.org

# 公開質問状

今や最も社会的負担の大きな疾患となっている精神疾患について、その原因解明や客観的な診断、効果的な治療法の開発に向けて尽力されている貴学会の活動に敬意を表します。当会は、精神医療現場での人権侵害の問題に取り組むことで、メンタルヘルスの分野の改善を目指している国際的な市民団体です。

さて、今年10月9日、WHOと国連人権高等弁務官事務所が共同で「メンタルヘルス、人権、法律のガイダンスと実践」(以下ガイダンス)を発表しました。これは、生物医学的モデル(biomedical model)に基づいたアプローチから人権に基づいたアプローチへと大きく転換することを提唱した、メンタルヘルスのパラダイムシフトとなる手引きです。

現代精神医学が発祥して1世紀半以上経ち、多くの精神医学者が研究を重ねてきましたが、精神疾患の原因や発症メカニズムはいまだ特定できず、エビデンスに基づく客観的な指標を用いた診断法も開発されず、有用性が十分な治療薬も開発されていないというのが現実です。

十分な根拠や効果を示していない生物医学的モデルが、精神障害者に対する差別や権利剥奪の正当化として長らく用いられてきました。また、仮説に過ぎない生物医学的モデルがあたかも証明された事実であるかのように吹聴されることで、うつ病治療の過剰なマーケティング化などの弊害が引き起こされています。

一方で、WHOでもグッドプラクティスとして選ばれ、効果を示しているメンタルヘルスケアサービスには「症状の軽減に焦点を当てた生物医学的モデルから、権利に基づくアプローチへのパラダイムシフトを受け入れている」という共通点があります。WHOも国連も、生物医学的モデルの限界を認め、そこから決別する姿勢を強くしています。

このようにメンタルヘルスのあり方が国際的に大きく変化する一方、ほぼ100%近い割合で生物医学的モデルに基づいた実践がなされている日本の精神医療業界は、中心的な関係者の考えが変わらない限りパラダイムの移行は困難と言えます。

そこで、貴学会の今後の姿勢についてうかがいたく、公開質問状を送付させていただいた次第です。貴学会の年会が間近に迫りご多忙の中恐縮ですが、この公開質問状を受け取り後2週間以内のご回答をお願いします。何卒よろしくお願いします。

記

一、　WHO と国連が、メンタルヘルスのアプローチを生物医学的モデルからシフトするよう提唱したガイダンスを発表したことについて、貴学会はどのように受け止めるのか。

二、　貴学会をはじめとする主要な国内の精神医学会が合同で「精神疾患の克服と障害支援にむけた研究推進の提言」を 2018 年に発表し、総力を挙げて研究が進められてきたにもかかわらず、精神疾患を克服し得る決定的な研究成果が出ていない状況について、そもそも前提（神経生物学的な異常が精神疾患の原因であるという仮説）が誤っているという考えは「生物学的精神医学」を謳う貴学会の性質上存在しないのか。

三、　十分な根拠の無い生物医学的モデル（例：セロトニン濃度の減少がうつ病の原因だとする説明）が、あたかも証明された事実であるかのように様々な場面で使われ、結果として不適切なマーケティングや偏見を作り出している状況に対し、貴学会はどのように考えているか。

以上

ムドコンセントを徹底し、治療や処遇も自己決定によって選択するよう促すことで、自分の人生にも責任を持つようになり、回復や社会への溶け込みにつながるのです。

日本では、精神保健指定医の指示があれば、本人の意思に反して強制的に入院・隔離・拘束が可能です。本人が拒否しているのに服薬や注射を強制する権限は指定医にもありませんが、現場では強制服薬、強制注射が日常的に行われています。この状況が常識となっている日本の精神医療関係者は、後者のアプローチによって人が回復する様子を経験したことがなく、それゆえに現実性もなく、到底受け入れられないのです。

もしも日本の精神医療関係者がこのガイダンスに対して「現場の苦労を知らない人間が正義を押し付けるな！」と反応しようものなら、それはそのまま自分自身にブーメランとなって突き刺さることになります。きっとこのガイダンスの作成や、その基となる効果のある実践の実現に関わった関係者からすると「そのようなありきたりの反発を乗り越え、人が回復する本当に効果のある実践を一から作り上げて完成させた現場の苦労も知らない連中が、人権侵害を正当化するな！」となることでしょう。

ガイダンスに従って日本で効果のある実践を実現するにはとてつもない努力が必要となるのは必至です。メンタルヘルスのあり方を根底から覆し、現在と真逆の方向に進まないといけないからです。当事者の責任と権利を奪い、社会から隔絶させ、治療と称する人権を無視した手法でおとなしくさせ、少ない人数で大勢を支配的に管理するというやり方が日本の長年のスタンダードです。入院治療でも外来治療でもその本質は変わりません。日本のメンタルヘルスは精神医療ビジネスによって独占されているという言い方もできるでしょう。そこから脱却し、個人が尊重され、人権が確保され、多人数で個人を支えるというスタイルで質の高いメンタルヘルスケアを実現させるとなると、相当な覚悟が必要となります。当然予想される既得権からの猛反発を乗り越え、十分な財源と人材を確保しなければなりません。

いざガイダンスに従う動きが日本でも出てきたら、精神医療ビジネスによって甘い汁を吸ってきた関係者は死に物狂いで叩きつぶそうとするでしょう。あるいはそのような方向に進むフリをしてさらに人と金を獲得する口実に利用するでしょう。決して忘れてはならないのは、彼らこそがメンタルヘルス、ひいては医療や福祉を台無しにし、患者を悪化させると共に不必要に患者を作り出してきた元凶であるという事実です。

まずはその腐敗を取り除く必要があります。風呂の中に汚物という汚染源がある限り、いくら綺麗なお湯を継ぎ足しても状況は改善されません。正しいステップは、その汚染源を取り除き、風呂釜を洗浄した上で新しい湯を注ぐということになります。つまり、精神医療ビジネスを規制し、そこからの脱却を進めることなく、今までどおりの専門家（つまり生物医学的モデルに基づいた精神医療の専門家）に任せる形でそこに予算や人員を投じるような愚行は絶対に避けなければなりません。それはさらなる汚染された湯を作り出すだけです。

ガイダンスに従って法整備を進めていけば、おのずと精神医療ビジネスは存続できなくなります。精神医療ビジネスによって不当に奪われてきた社会保障費をしかるべきところに再分配する形であれば実現は決して夢ではありません。ガイダンスの第2章は以下の8つのポイントで法整備を求めています。

1. 平等と差別の禁止の確保
2. メンタルヘルスサービスにおける個人性と法的能力の尊重
3. インフォームドコンセントと精神医療における強制行為の排除
4. 質の高いメンタルヘルスサービスへのアクセス
5. 地域社会でのメンタルヘルスサービスの実施
6. 公的決定への完全かつ効果的な参加の確保
7. 説明責任の確保
8. 総合的なサービス提供に向けた分野横断的な改革

それぞれの詳細はガイダンス本文をお読みいただきたいのですが、私が今すぐにでも日本で実現したいのは「説明責任の確保」の中で示されている「効果的な救済策と救済策の実施」です。そこでは以下のように述べられています。

現在および過去のサービス利用者は、治療、行動、行為を含むメンタルヘルス提供のあらゆる側面に関して苦情を申し立て、法的手続きを開始する権利を有するべきです。自由の剥奪、施設への収容、その他の強制行為を含む、そのようなサービスに関連して犯されたあらゆる人権侵害に異議を唱えるための効果的な救済策が利用可能であるべきである。

日本で精神医療ビジネスがはびこる理由の一つに、被害者が声を上げることができる「機能する」仕組みが存在しないことが挙げられます。患者の声相談窓口のような医療安全支援センターは全国に存在しますが機能していません。相談や通報したところで加害者側には何らのダメージはなく、被害者が救済されることもありません。精神科病院に現在入院中の患者に限定して退院請求や処遇改善を申し立てることのできる精神医療審査会も同様に不十分です。精神保健福祉法改正に伴い、２０２４年度から精神科病院における虐待について通報義務が課されることになりますが、精神科クリニックは対象外です。

結局、日本において精神医療の被害者は自分自身で証拠を集めて司法に訴えるしか手段がないのです。提起するまでのハードルは高く、訴訟を進めるには多大な時間と労力と資金が必要となり、その上で賠償を勝ち取るにはさらにとてつもなく高いハードルを超えることが要求されるのです。被害者は生還できただけでも御の字であり、被害について補償されるのは夢のまた夢というのが現状です。しかし、ここ数年で状況は変わってきています。

まず司法が変わりつつあります。前述した成仁病院に対する民事訴訟の判決も画期的ですが、２０２1年10月の最高裁の判断も画期的でした。精神科病院で身体拘束後に死亡した患者の遺族が病院側を訴えた件で、精神保健指定医の裁量に踏み込む形で身体拘束の違法性を認定する高裁判決が確定されました。日弁連も「精神障害のある人に対する人権侵害の根絶を達成するために、現行法制度の抜本的な改革を行い、精神障害のある人だけを対象とした強制入院制度を廃止して、これまでの人権侵害による被害回復を図り、精神障害のある全ての人の尊厳を保障すべく、国及び地方自治体に対して多様な施策を実施するよう求めます。」と宣言し、強制入院廃止に向けたロードマップも示しています。

もう一つ時代の変化を象徴するのは、18歳の高校生が13歳で受けた医療保護入院の不当性を訴えると同時に、医療保護入院の違憲性まで踏み込む形で提訴した件です。裁判の行方はどうなるかわかりませんが、その行動に多くの被害者らが勇気付けられました。精神医療被害者には子どもも多く含まれています。声を上げることができず、一方的に加害者に虐げられ、泣き寝入りするしかできない時代は終わりました。あとは彼らがもっと声を上げられやすい環境を我々大人が整えるべきです。

## 人権をもたらし、法の下に戻す

私が日本支部代表世話役を務める市民の人権擁護の会（Citizens Commission on Human Rights）は、「精神医療を法の下に戻す」という活動の目的を掲げています。現時点において医療という名目で取り締まりの対象になっていない、危険、残虐、非人道的、詐欺的な実践を法で規制するよう働きかけることでその目的を達成します。

精神医療ビジネスについても、既存の法改正や新しい法律の制定、あるいは診療報酬の改定によって規制することは可能です。しかし、それを実現するためには国会議員や役人を動かさないといけません。そして、そのためには解決すべき社会問題であると関係者に認識させる必要があり、そこに至るためには大々的な報道が不可欠です。

厳密には精神医療ビジネスではないために話が逸れることになりますが、精神科医による脱法行為にメスを入れてようやく法の下に戻すことのできた直近の成功事例を紹介しておきます。それは、精神科医による患者に対する性的搾取です。

精神科医は、その立場や知識、治療に使われる向精神薬を利用し、患者の不安定さにつけ込めば、いとも簡単に患者と性的関係に持ち込むことが可能です。それはまさに性的搾取に当たる行為そのものですが、長年それは放置されてきました。犯罪行為として認識されていなかったからです。もちろん暴行脅迫などの要件を満たしていたら、通常の性犯罪と同じく立件されるのですが、精神科医にとっては形式的な同意を取ることなど容易いため、被害に遭った患者が警察に相談したとしても門前払いでした。

業界はかろうじて「乱用と搾取の禁止」（日本精神神経学会2014年6月25日制定「精神科医師の倫理綱領」）、「診療の相手方に対して性的接触を図るなどの行為は地位の乱用にあたり、不適切です」「自らの優越的立場を利用した搾取、例えば性的搾取などは、特に深刻な反倫理的行為です」（日本精神神経学会2021年6月27日制定「精神科医師の倫理綱領細則」）と倫理違反であることを示していましたが、あくまでも業界内向けであり、患者側にはそれを不適切な行為であると知る機会などありませんでした。

私は、鹿児島でたった一人の精神科医が多数の女性患者に対して治療と並行して性的関係を持ち、少なくとも2人が自殺した問題について、遺族から被害報告を受けたことをきっかけに一から取り組みました。拙著「もう一回やり直したい～精神科医に心身を支配され自死した女性の叫び～」（萬書房、2019年）にその詳細を書いていますが、性的搾取そのものは事件化できないため、綿密な調査によって違法行為である不正請求を発見して告発しました。その結果当該精神科医は詐欺罪で有罪が確定し、医師免許の停止と保険医の資格取り消しの行政処分が下されました。

しかし不正請求の問題だけで終われば、それはどこでも起きている小悪党による違法な精神医療ビジネスが発覚しただけの話です。患者2人が自ら命を断つという重大な結果に対して何ら責任を感じることもなく、患者に性的接触を図って関係を持つという加害行為を止めることのできない精神科医が野放しにされていたのは深刻な状況でした。何の権限もない一市民に過ぎない私が介入して告発しなければ、捜査機関も役所も何も動けなかったという事実は、彼らの怠慢ではなく医療行政の限界と法の不備を象徴していました。

そこで私は世間に広く注意喚起すると共に、法改正に向けてしかるべきところに働きかけました。性犯罪に関わる刑法改正の動きもあり、私は遺族と共に国会議員や法務省、厚生労働省、弁護士会らを相手に、法の不備によって弱い立場にある患者が声も上げられず苦しんでいる実態を伝えていきました。

いよいよ刑法改正の動きが本格的になるに当たり、どのようにしたら精神科医による、立場を悪用した性暴力を犯罪として立件できるようになるのか関係者と議論を重ねてきました。そしてついに２０２３年６月、不同意性交等罪や不同意わいせつ罪を新設した改正刑法が国会で成立しました（同年7月13日施行）。

両罪は「同意しない意思を形成し、表明し若しくは全うすることが困難な状態」にある相手への性行為で成立し得る犯罪であり、改正法では具体的に計８種類の行為や状況が例示されました。精神科医が患者と性的関係を持つことは、特に以下に関係します。

二　心身の障害を生じさせること又はそれがあること。

三　アルコール若しくは薬物を摂取させること又はそれらの影響があること。
八　経済的又は社会的関係上の地位に基づく影響力によって受ける不利益を憂慮させること又はそれを憂慮していること。

法案が国会で審議された際、議員が法務大臣や法務省刑事局長に確認するやり取りがありました。その結果、具体的な答弁が以下のように示されました。

齋藤健法務大臣「被害者が心身の障害を有している場合や、障害を有する方を監護する立場にある行為者が地位、関係性を利用する場合などについて、より的確に処罰することができると考えております。また、改正後の刑法第百七十六条第一項第二号の心身の障害とは、身体障害、知的障害、発達障害及び精神障害でありまして、一時的なものを含むものであり、程度に限定はございません。」（第２１１回国会法務委員会第17号、令和5年5月17日会議録より）

松下裕子法務省刑事局長「向精神薬の影響があることにより、性的行為をしない、したくないという意思を表すことが困難な状態にある患者さんに対して、主治医や心理カウンセラーのような立場にある方がその状態にあることに乗じて性的行為を行った場合には、行為者に故意が認められるのであれば、不同意わいせつ罪や不同意性交等罪が成立し得ると考えております」「精神科に通院している患者で、主治医との性的行為に応じなければ主治医に見放されて診察してもらえなくなるという不安により、性的行為をしない、したくないという意思を表すことが困難な状態にある者に対しまして、主治医がその状態にあることに乗じて性的行為を行った場合には、行為者に故意が認められるのであれば、不同意わいせつ罪や不同意性交等罪が成立し得ると考えております。」（第２１１回国会参議院法務委員会第21号、令和5年6月13日会議録より）

不十分ではありますが、ようやく精神科医や心理カウンセラーによる、立場を悪用した性暴力を「犯罪」として取り扱うことが可能となりました。もちろん実際に立件するにはまだ高いハードルはありますが、門前払いされずスタート地点に立てるようになったのは歴史的な一歩と言えます。

このようにして、以前は法で取り締まれなかったものを取り締まりの対象にすることが可能です。精神医療ビジネスによって人々の命や健康、財産が不当に奪われている問題についても、具体的に法令で規制するか、診療報酬上のペナルティを設けることで解決に向かうことができます。

## 精神医療ビジネスがはびこる本当の理由

ここまで、ほぼすべて精神医療ビジネス側の問題ばかり指摘してきました。しかし、彼らを糾弾するだけでは決して問題は解決しません。なぜならば、まだ言及していない、精神医療ビジネスがはびこる本当の理由があるからです。

なぜ、政府は精神医療ビジネスを公認し、加担してしまうのでしょうか。そしてなぜ人々は精神医療ビジネスにはまってしまうのでしょうか。そこには「本当の問題から逃げる」姿勢があるのです。

精神医療ビジネスは、「即効性があるお手軽な問題解決の手段」として売り込まれますが、実際には**大きなツケを残す刹那的な問題回避の手段**でしかありません。借金苦の人にとって、高利貸しが救世主に見えるようなものです。

例えば、教育現場で発達障害ビジネスが広がる根本的な原因について説明します。教育現場は今やパンク状態です。事務作業など教員に求められることが極端に増えるなか、通常の授業に加えて部活動の指導にも時間を費やし、集団教育に馴染めない児童生徒にも対応し、メンタルをやられて突然長期療養することになった他の教員をカバーするなど、現場の教員の負担は尋常ではありません。制度の歪みや限界が、教員の負担増や指導力の低下、合理的配慮や支援を必要とする児童生徒への不十分なケアという形で表れています。

本来は、もはや疲弊して歪みをもたらしている教育制度を根本から見直し、十分な人員や予算をつけるという本当の問題に向き合うべきです。しかし、その本当の問題から逃げ、目の前にある問題を刹那的に回避するために、責任を全て児童生徒の個人の脳に押し付け、しばしば専門家に丸投げする形で、診断や投薬、症状の軽減を解決策として採用するのです。

あらゆる精神医療ビジネスについて同じことが言えます。**個人や社会が特定の問題に向き合いたくないために、責任を回避したいがために、責任を一部の犠牲者に押し付け生贄として差し出す形で精神医療ビジネスを受け入れているのです。**

ですから、精神医療ビジネスを叩くだけでは解決しません。我々が変わる必要があります。**特定の人々への人権侵害を黙認することで成り立つ目先だけの解決策**に誘惑されることなく、本当の問題に向き合う勇気が必要です。たとえ精神医療ビジネスを撤廃できたとしても、我々の姿勢が変わらない限り、別の人権侵害システムが採用されるだけです。

精神医療ビジネスの正体を知ることが、より良い社会を作る第一歩です。知ることで自分や愛する人を守ることができ、責任も回復します。

# おわりに

精神医療ビジネスの影響は想像以上に日本社会に浸透しています。その要因となっているのは人々の無防備さです。金銭だけ騙し取られるならまだしも、基本的人権や尊厳を踏みにじられ、健康や命、人生そのものを不当に奪われているにもかかわらず、その被害を自覚していない人々（当事者や家族）が多数存在します。加害行為に気付かないため、むしろ加害者に対して感謝や謝罪すらしています。

この問題を深刻にさせているもう一つの要素があります。それは、加害行為を自覚できない加害者という存在です。情報や視点が欠けているために、意図せず加害者になってしまう人も中にはいます。大半の人は学習し、情報や価値観をアップデートすることで自分の過ちに気付き、自分の考え方や行動を修正することができます。そのような人は、たとえ一時精神医療ビジネスに加担したとしても、それが適切ではないと理解した場合、足を洗うことができます。

しかし、中には全く行動を修正することができない加害者がいます。あまりにも加害行為に手を染め過ぎて、今さらその過ちを認めることができず、自己正当化に凝り固まってしまっている人と、「責任を感じる能力」が欠如している人です。前者はまだわずかに救いの道があるかもしれませんが、後者は非常に厄介です。そもそも罪悪感を抱くこともできず、それゆえ反省もできないからです。被害者の多くは、加害者に謝罪してもらいたい、反省してもらいたいという気持ちを強く抱くものですが、残念ながらこのようなタイプの加害者の場合、それはかなわぬ願いです。表面的に謝罪や反省するポーズは見せることができますが、自分のしてしまったことに何ら責任を感じることができないため、心からの謝罪も反省も改心も期待できません。逆に、そのような態度であるからこそ、普通の人では躊躇してしまうような加害行為を、顔色を変えることなく長年にわたって継続できると言えるでしょう。

言うまでもなく、精神科医は高い倫理性が求められる専門職です。しかし、倫理面で優れた人のみが精神科医を志願するわけではありません。医師免許も精神保健指定医の資格も、その人の人間性を保証しません。他科の医師を目指しながら能力面で挫折し、消去法で精神科を選択するような人もいます。その他にも、他人を痛めつけたり支配したりすることに密かな喜びを感じる人や、自身が病んでいる人、コンプレックスを歪んだ形で解消しようとする人など、能力や性格などに問題を抱えた人が、特別な権限を持った精神科医という地位に憧れ、実際になってしまう場合があります。本文中で示したとおり、問題ある精神科医や精神科医療機関が一定数存在するのは疑いようのない事実です。

これは、誰もが精神医療ビジネスの被害者にも加害者にもなり得ることを物語っています。今や、様々なメンタルヘルス政策の方針に従い、保健師や学校教員、保育士などが精神科への橋渡しの役割を担っています。ゲートキーパーと称して一般市民も人を精神科につなげる役割を担っています。政府広報やテレビ報道、新聞記事、ネット記事などを目にした人が、よかれと思って家族や友人に精神科受診を勧めるなどしています。しかし、つなげた先の精神科がまともである保証など一切ありません。人々のメンタルヘルスをむしろ悪化させる精神医療ビジネスが蔓延し、問題ある精神科医が一定数存在するという事実が無視されているため、せっかくの善意は最悪の悲劇の原因にもなりかねないのです。

多くの人が精神医療ビジネスの実態を知れば、被害者も加害者もおのずと減るでしょう。被害を自覚した被害者が行動を起こし、加害者が内部告発者へと転化し、精神医療ビジネスの摘発が相次げば、法規制や診療報酬上の縛りが厳しくなり、精神医療ビジネスは存続できなくなるでしょう。本書がそのきっかけとなることを願っています。

２０２３年12月　米田倫康

**精神医療ビジネスの闇**
**発達障害バブル、製薬マネー、人権侵害の歴史**

---

**発　行　日**　2024年3月1日
**著　　　者**　米田倫康
**発　行　者**　福田晃広
**発　行　所**　北新宿出版
〒169-0074
東京都新宿区北新宿1-14-2 グローリア柏木204
電話　090-7652-5609
FAX　03-6733-7954
MAIL　kitashinjuku.publication@gmail.com

**組　　　版**　フレックスアート
**印刷／製本**　シナノ書籍印刷
**装　　　丁**　大倉真一郎
**校　　　正**　鴎来堂


ISBN 978-4-911145-00-5 C0036 ￥2000E
Printed in Japan